Un homme dangereux

DU MÊME AUTEUR

ROMANS
Les vies denses, *Ramsay*, 2001
Une femme normale, *Ramsay*, 2002
Le sourire de l'ange, *Ramsay*, 2004
Le film de Jacky Cukier, *A. Carrière*, 2006
La mort d'un pote, *Éd. du Panama*, 2006
Chouquette, *Actes Sud*, 2010
Les collectionneurs, *Éd. du moteur*, 2010
Deux étrangers, *Actes Sud*, 2013

JEUNESSE
Un jour qui n'existe pas, *Actes Sud jeunesse*, 2010
Un petit garçon tout lisse, *Acte Sud jeunesse*, 2011

ESSAI
24 jours, la vérité sur la mort d'Ilan Halimi, *Seuil*,
    2009

Émilie Frèche

Un homme dangereux

roman

Stock

Illustration de bande : © Manon Baba, en partenariat
avec l'École nationale supérieure des Arts Décoratifs
d'après une photographie de Francesca Mantovani

ISBN 978-2-234-07985-4

« Il m'avait dit "tu n'écriras pas un livre sur moi". Mais je n'ai pas écrit un livre sur lui, ni même sur moi. J'ai seulement rendu en mots [...] ce que son existence, par elle seule, m'a apporté. Une sorte de don reversé. »

Annie Ernaux, *Passion simple*

I

Nous n'avons pas échappé aux statistiques, comme quatre-vingts pour cent des couples, après quinze ans de vie commune et deux enfants, Adam et moi ne couchions plus jamais ensemble. Mais j'aimais encore mon mari. Je prenais du plaisir à le retrouver au beau milieu de la journée pour aller boire un café, partir avec lui en week-end sans nos filles, le regarder lire les journaux de façon compulsive et manger de la même manière, ou bien voir des films dans ses bras puis m'y endormir en sachant très bien qu'il m'en voudrait pour cela. Adam était mon sang. L'unique personne sur cette terre dont je ne me sentais jamais étrangère, et j'adorais la vie que nous nous étions construite. C'était une vie douce, riche, gaie, sans souffrances, qui me laissait la tête libre et le cœur entier pour faire mille choses. Ainsi, au cours de ces quinze années, je fis Suzanne puis Léa, j'écrivis des nouvelles, des livres pour enfants, des scénarios qui ne se tournèrent jamais, je signai un document sur l'affaire Ilan Halimi qui me valut d'être missionnée par l'Éducation nationale pour aller parler du racisme et de l'antisémitisme dans des lycées classés en zone d'éducation prioritaire, j'écrivis aussi des romans, six en tout, dont le dernier sur mon père que je parvins par miracle à porter à l'écran, et cette existence dont je me disais chaque jour qu'elle était un cadeau du ciel avait cela de formidable qu'il me restait encore du temps pour faire du sport, aller dans les musées, fréquenter les librairies, voyager et même cuisiner sans raison, pour aucune occasion, simplement parce que la vie était belle et qu'il fallait en profiter. Combien de dîners ai-je pu organiser au cours de cette décennie ? La seule perspective de ce calcul me donne le vertige. À une époque, j'en donnais au minimum un par semaine pour réunir les amis qui, eux, ne nous invitaient jamais, pas l'énergie, disaient-ils, et cela me fascinait, je ne comprenais pas ce qui pouvait les exténuer à ce point. Moi, j'étais infatigable. Littéralement *increvable*. Et je pensais naïvement que c'était là une donnée de mon patrimoine génétique, ma nature, mon caractère, quand en vérité je ne souffrais d'aucune sorte de fatigue parce que sur la longue route que je m'étais tracée, j'avais fait couler une couche de goudron bien lisse et bien épaisse, laquelle avait effacé tout ce qui aurait pu me faire trébucher – bosses, trous, fissures, crevasses. On ne se rend pas compte, mais la plupart des gens dépensent une énergie folle à se sortir des abîmes où ils sont tombés, or moi, ne chutant jamais nulle part, j'en avais à revendre. J'en avais tellement que j'étais comme les milliardaires avec leurs billets de banque, je ne savais plus quoi en faire – un nouveau film, un autre enfant, un tour du monde ? *Arrête un peu*, me disait Adam, *tu me donnes le tournis, à la fin !* Nous avions vingt ans d'écart, ce qui était devenu, à mesure que nous vieillissions, une chose de plus en plus compliquée à gérer pour lui. On aurait dit qu'il craignait que j'attende de sa part des choses « de mon âge », des choses qu'il n'aurait pourtant jamais faites même si je l'avais connu à vingt ans, comme par exemple le con au volant ou l'amour le matin, alors que c'était tout le contraire, moi j'adorais qu'il soit plus vieux que moi, plus calme, plus détaché, plus serein, plus sage – d'autant que cela ne m'empêchait pas d'écumer les annonces des agences immobilières. Eh bien quoi ? Nous n'étions pas morts, il fallait bien bouger encore ! *Faire quelque chose*, et je n'avais rien trouvé de mieux que les déménagements. Adam n'avait à s'inquiéter de rien, je m'occupais de tout. J'adorais les cartons ! Oui, j'adorais cela, et plus encore visiter de nouveaux lieux, visualiser mes vies possibles, en choisir une et engager des travaux pour l'accueillir. Chaque fois, il me semblait que nous nous offrions une nouvelle chance, celle de se réinventer, mais là encore, Adam ne voyait pas les choses du même œil : il disait que

13

c'était complètement stupide de continuer à louer, *de l'argent foutu en l'air*, que pour préserver nos filles, nous n'avions pas le droit de ne pas investir dans la pierre, et sans doute avait-il raison, mais je sais aujourd'hui que sa motivation profonde était ailleurs – il voulait acheter pour nous enraciner. Il avait compris que la propriété était comme le mariage, un contrat qui, si on le laissait courir, pouvait survivre à tous les renoncements, or c'était cela précisément qui m'angoissait, et ainsi chaque année au réveillon, devant les amis qui se moquaient gentiment, il ne lui restait plus qu'à manifester sa crainte des cartons en priant, le verre levé :

– Pourvu que cette nouvelle année ne nous voie pas encore changer d'adresse !

Nous en avons changé onze fois en quinze ans.

Je ne sais pas si cela nous aura rendu fous, ou si nous avons sombré dans une longue et profonde dépression comme le soutiennent bon nombre d'études sur la question, mais ce qui est sûr, c'est que notre couple aurait duré bien moins longtemps si nous étions restés au 7, rue du Mont-Thabor qui fut notre premier domicile car, maintenant je le sais, quitter un appartement est toujours une façon de retarder le jour où l'on quittera sa femme ou son mari.

Mon mari était depuis longtemps dépassé par ma folle énergie. Peut-être même l'était-il depuis le début, mais malgré son flegme légendaire et ses vingt ans de plus que moi, il finissait toujours par se laisser entraîner dans mon tourbillon d'activités en tout genre. Ainsi, lui qui détestait le sport par-dessus tout et les changements d'environnement acceptait-il les randonnées à vélo le week-end, les voyages dans des pays exotiques, les séjours chez l'habitant plutôt que dans de grands palaces, et les restaurants autres que ceux où il avait sa table. Il savait d'instinct qu'il me fallait recommencer sans cesse, bouger, changer, réinventer nos vies, et que si nous ne faisions rien, j'en serais morte. Nous n'avons plus rien fait à compter de la naissance de Léa, qui vient tout juste de fêter ses dix ans.

Je ne sais pas comment une chose pareille a pu nous arriver. Comment nous faisions l'amour, au début sans arrêt, *une, deux, trois fois par jour*, et puis de moins en moins et un beau matin, plus du tout. Non, je ne sais pas. Je n'en ai aucune idée. La fatigue, la lassitude, disent certains – mais l'habi-tude ? Pourquoi n'y en aurait-il pas à coucher avec quelqu'un comme il y a une dépendance au tabac, au jeu, à la drogue, à l'alcool ? Cela nous simplifie-rait tellement l'existence ! Souvent, j'essaie de me souvenir de la dernière fois où nous nous sommes aimés, Adam et moi. Était-ce chez nous, à Paris ? Dans notre lit, notre salon, celui de nos amis dans cette maison sur la plage en Normandie ? Était-ce dans d'autres draps que les nôtres, quelque part en Europe où j'aimais l'accompagner lorsqu'il était invité dans des colloques pour parler des nouvelles avancées de la chirurgie cardiaque ? Je ne me rappelle rien. Aucun baiser, aucune caresse. J'ignore quelles positions nous avons pu adopter, ni si ce fut long, doux, tendre ou bien alors très triste et quelque part cela me rassure, car si notre dernière fois avait fait naître en moi du dégoût, sentiment qui m'étreint toujours pour le corps de l'autre quand je cesse de le désirer, j'en aurais gardé un souvenir intact. Or, le seul qui m'est resté est la date exacte à laquelle cette dernière fois a eu lieu. Je l'ai retrouvée par déduction, parce que sans m'en avertir, mon cerveau avait comptabilisé chaque jour d'abstinence et que certains matins, je pouvais me réveiller en me disant *Tiens, aujourd'hui, cela fait sept cent quarante-huit jours qu'Adam et moi, nous n'avons rien fait !* La toute dernière fois, c'était en novembre 2004. Le 1er novembre exactement, jour où nous célébrons les morts, ce qui, tout compte fait, n'est pas une si mauvaise date pour arrêter de prendre le risque de se reproduire.

Nous avons réalisé mille choses, Adam et moi, au cours de ces quinze années de vie commune. Nous avons bâti, rêvé, parlé et ri surtout, ri comme aucun autre couple, mais quand je nous revois, c'est toujours la même image qui me vient et elle me mortifie : nous sommes au lit, dans notre chambre, lui porte un T-shirt et un caleçon, moi un sweat et un legging, la télévision est allumée sur BFM, la même édition repasse en boucle, nous l'avons déjà vue trois ou quatre fois de sorte que la fatigue commence à nous gagner et, tels les personnages d'un mauvais téléfilm, nous nous souhaitons une *bonne nuit, mon amour* ou un *je t'aime* sans âme, mécanique, puis nous éteignons la lumière et nous nous tournons chacun de notre côté, dos à dos, aux deux extrémités de notre lit immense. Il fut un temps où sans doute faisions-nous en sorte de ne pas nous mettre au lit au même moment, où l'un d'entre nous attendait patiemment dans le salon que l'autre s'endorme, comme une forme de politesse à l'égard de notre couple, une façon de lui épargner le triste constat de ce qu'il était devenu, mais je ne m'en souviens guère. Je me souviens seulement de nous dans ce lit immense, incapables de nous toucher même tout habillés, *infoutus* d'avoir pour l'autre le moindre geste tendre, et cette solitude physique était d'une telle violence qu'aujourd'hui encore je garde en mémoire le sentiment que j'avais, quotidien, d'avoir raté ma vie, de mourir à petit feu. Alors parfois, mais c'était là le grand maximum, tel un pathétique lot de consolation, je demandais à Adam de me *faire les cheveux*. Je disais faire les cheveux comme j'aurais dis faire l'amour, mais en vérité cela voulait juste dire caresser – *peux-tu, s'il te plaît, me caresser les cheveux ?* – seulement ce verbe-là me semblait trop érotique, je ne parvenais plus à l'utiliser avec Adam. Il n'y avait plus aucun désir entre nous. Nous n'y pouvions rien. C'était une réalité aussi inéluctable que la marche du temps, nous n'avions aucun moyen de lutter contre, si bien que sans jamais avoir la vulgarité d'en parler, nous avions fini par en prendre acte.

Mon mari me trompait-il ? Je n'en ai rien su, mais si oui, sans doute le faisait-il pour *l'hygiène*, avec des filles qu'il devait payer afin de ne pas être tenu de les revoir. Adam n'avait rien à se prouver, ni besoin d'être aimé de quiconque pour se sentir aimable. Enfant élu d'une mère qui n'en avait pas eu d'autre, il n'était dupe d'aucune forme de séduction. Cela lui conférait une force qui me rendait jalouse. Contre lui, les autres ne pouvaient rien. Leurs flatteries, leur intérêt, leur amour ne modifiaient jamais son équilibre émotionnel. Ses parents l'avaient aimé suffisamment pour que tout ce qui vienne par la suite ne soit jamais que du plus. Ainsi, Adam n'était pas de ceux qui s'égaraient. La tête haute, le regard fiché vers l'avenir, il savait toujours où il allait. Il avançait dans la vie avec cette conviction qu'on ne trouve que chez les religieux : il était athée, mais sage. Et au début, moi aussi, je l'étais. Oui, je l'étais ! Nous ne nous touchions plus et pourtant je restais fidèle à mon mari. Je ne m'intéressais à aucun autre homme. Je n'entretenais pas de relations ambiguës. Je fuyais les rencontres au point qu'au fil des jours, j'avais fini par oublier que j'avais des seins, des hanches, des jambes, des fesses, un ventre, sinon dans la douleur de l'effort car à cette époque, le sport était devenu ma drogue. J'allais nager cinq fois par semaine, palmer et fendre l'eau de mes bras tendus comme une furie ou bien fouler les allées du bois de Vincennes à m'en faire péter le cœur, mais ça ne suffisait pas, le week-end j'avais encore besoin de me dépenser, si bien que je mettais mon vélo dans des trains qui m'emmenaient sur les chemins de halage d'Île-de-France où je pouvais avaler mes quatre-vingts bornes sans souci, parfois même j'allais jusqu'à cent et quand je rentrais le soir, je n'arrivais plus ni à marcher ni à bouger, mon corps entier était une plaie à vif, mais mon esprit flottait à dix mille pieds au-dessus de lui et j'étais bien.

Cela aura duré tellement d'années... Est-ce que j'en ai souffert ? Je ne crois pas. Le sexe était une chose que j'avais écartée de mon cerveau, de la même manière que j'avais banni de mon alimentation les pâtes et le chocolat parce qu'ils me faisaient prendre trois kilos simplement en les regardant, et je n'en connaissais plus le goût. Je n'en avais plus jamais le désir. Comment, alors, est-il réapparu ? Par quel mécanisme – quel *miracle*, devrais-je écrire ? Je ne me l'explique toujours pas. C'était le 1er novembre 2011, soit sept ans jour pour jour après avoir couché pour la dernière fois avec Adam, et je ne peux pas imaginer qu'il s'agisse là d'une simple coïncidence, sinon comment expliquer que ce week-end-là, j'aie accepté une invitation dans un salon du livre que j'avais toutes les raisons de refuser ? Je n'étais pas en période de promotion, je n'avais donc aucun roman à vendre, et ce salon inaugurait sa première édition (ce qui n'est jamais bon signe) dans une ville que j'aurais été incapable de situer sur une carte et dont j'ai depuis oublié le nom. Mais le fait est que j'ai dit oui. Et que je me suis retrouvée, le 31 octobre au soir de cette année-là, assise entre le maire et son adjoint pour le dîner de gala qui, comme tous les dîners de gala des festivals sans budget, avait lieu dans une salle polyvalente éclairée aux néons blafards. Les organisateurs n'avaient pas réussi à faire marcher le chauffage, on grelottait tous, le vin était bouchonné, l'homme à ma droite gentil mais très lourd et la tranche de saumon dans nos assiettes salée à outrance. Et nous n'étions que vendredi soir... Cela signifiait qu'il y aurait encore quatre repas semblables avant mon retour à Paris. Cette perspective me nouait l'estomac. Le plat est arrivé et je me suis levée pour aller fumer. Il fallait que je trouve un moyen de rentrer plus tôt sans vexer personne. Je crois même que j'étais déjà en train d'appeler Adam pour lui demander de m'aider quand j'ai atteint la sortie. J'ai noté alors la présence d'un homme qui se tenait juste derrière les portes vitrées. Il fumait seul, de dos, portait un jean brut, une chemise claire et un pull noué sur les épaules en dépit du froid. Au vu de ses cheveux très bruns, épais et soyeux, il devait avoir à peu près mon âge, pas plus de trente-cinq ans. Je l'ai examiné un instant en hésitant à sortir. Je n'avais aucune envie d'engager le genre de discussion que les fumeurs se sentent obligés de tenir lorsqu'ils se retrouvent, comme des parias, à la rue autour d'un cendrier, mais c'est lui qui, le premier, a fait volte-face, et là – stupeur, joie, hurlement ! – j'ai reconnu Benjamin, l'un de mes vieux copains, dont j'avais fait la connaissance en lettres modernes à la Sorbonne, j'adorais ce garçon ! Nous nous étions perdus de vue au moment où j'avais rencontré Adam mais, quelques mois plus tôt, j'étais tombée sur lui par hasard en sortant du métro place Denfert, et depuis nous déjeunions de temps en temps dans des japonais bon marché, comme au temps béni de nos études – béni était le ciel qui me l'envoyait !

– Mais qu'est-ce que tu fais là ?! s'est-il exclamé.

– Me suis fait piéger ! Comme toi.

– Quel traquenard... Et en plus, on se les pèle. T'as pas froid ? Tiens, prends mon pull.

Il a ôté le shetland qu'il avait sur les épaules pour couvrir les miennes et je lui ai demandé :

– T'es à quel hôtel ?

– Mercure, et toi ?

– Carlton.

– C'est pas vrai ?!

– Mais non, c'est pas vrai, idiot ! Comment peux-tu croire qu'il y ait un Carlton dans un bled pareil ? Bon, je n'en peux plus, tu ne veux pas qu'on rentre ?

Il a hésité un instant, désappointé par cette proposition dont, sur le coup, je n'ai pas mesuré l'ambiguïté puisque je résidais moi-même au Mercure, ce qu'il ignorait encore, mais il a tout de même dit :

– Ok, allons-y. Je dois avoir quelques vieux films sur mon ordi, ce sera toujours mieux qu'une escalope de veau aux champignons pas sauvages.

Il est parti récupérer nos manteaux au vestiaire et je l'ai attendu dans le froid en terminant ma cigarette. J'étais heureuse de ne plus être seule. Je me sentais gaie et légère. Quand il a réapparu, je lui ai pris le bras avec l'enthousiasme qu'on réserve d'ordinaire à une bonne copine, ce qu'il était encore à ce moment-là, et serrés l'un contre l'autre, nous avons traversé la ville noire et déserte qui semblait avoir été spécialement conçue pour un 1er novembre.

Je n'arrive pas à me rappeler si nous avons rejoint sa chambre ou bien la mienne. Nos versions divergent. En même temps, ce n'est qu'un détail puisque les chambres standard dans un hôtel Mercure sont toutes les mêmes. Ce que je sais, c'est que je me suis installée sur le lit et que Benjamin est venu s'asseoir à côté de moi avec son ordinateur et m'a proposé de regarder *César et Rosalie*. Je me suis un peu moquée de lui. J'ai dit :

– Et pourquoi pas *Les Choses de la vie* ?!

Il se souvenait de ma passion pour Sautet, seulement je pleure devant presque tous ses films, surtout *Un mauvais fils*, et en l'espèce l'ambiance était déjà bien pesante, le décor glauque et le jour funeste, nous avions besoin d'une vraie comédie. Benjamin a admis que j'avais raison. Il a proposé, en vrac :

– *The Party* ? *Happiness* ? *Mary à tout prix* ?

Finalement, nous avons opté pour *Un éléphant, ça trompe énormément* (ce n'est pas une blague), mais nous n'en avons vu que le générique car très vite nos ventres, puis nos jambes, puis nos pieds, puis nos lèvres se sont entremêlés comme s'ils avaient toujours été faits pour se rencontrer, et bientôt l'ordinateur s'est retrouvé par terre et nous nus, haletants, lui sur moi à moins que ce ne soit moi sur lui, je ne sais plus, mais l'un dans l'autre en tout cas et pour très longtemps – minuit venait de sonner, nous étions bel et bien le 1er novembre.

La suite de l'histoire, évidente, c'est que j'ai passé ce week-end de la Toussaint au lit avec Benjamin, à faire et refaire l'amour jusqu'à en avoir la nausée, comme si j'avais voulu rattraper en deux jours ces longues années d'abstinence. Mais tu es increvable ! me disait-il en riant, et je lui répondais oui, parfaitement, *increvable*, en le dévorant de plus belle. Nous avions toujours beaucoup plaisanté, lui et moi, et le sexe ne changerait pas cette donne dans nos rapports. Sans doute parce qu'il ne s'accompagnerait d'aucune forme d'enjeu. Il serait libre, naturel, ludique, *innocent*, c'est-à-dire dépourvu de tout tabou, ainsi nous laisserait-il la grâce d'avoir encore de l'humour, et cette grâce plus grande encore d'en avoir au lit, là où généralement les gens en ont si peu, comme si le sexe n'était pas une affaire légère mais une question très sérieuse, bien plus sérieuse que le chômage, la fonte glaciaire ou la faim dans le monde.

Le dimanche soir, Adam m'attendait à la gare. J'avais appréhendé l'instant de nos retrouvailles durant tout le trajet. J'étais convaincue qu'au premier regard, il comprendrait tout, et que je serais incapable de lui mentir. Mais les choses ne se passent jamais comme on les imagine, bien sûr, et dès que j'ai aperçu sa silhouette au bout du quai, toutes mes craintes se sont envolées. Mon cœur s'est empli d'une joie simple, profonde, évidente. Car au fond, pour moi, rien n'avait changé. Adam était toujours l'homme que j'aimais. Et Benjamin restait ma bonne copine. Certes, une copine avec laquelle désormais je couchais, mais rien d'autre que cela. Et je me sentais juste un peu plus comblée qu'à l'aller, car à côté de l'écriture, de mon mari et de mes enfants, il m'était désormais offert d'avoir une vie sexuelle, ce qui à trente-deux ans ne me semblait pas un luxe mais une nécessité vitale, et pendant plus de trois ans ces deux vies se sont épanouies sans se croiser, sans s'abîmer, m'apportant une sorte d'harmonie rêvée entre d'un côté l'amour, de l'autre le sexe, mais partout la tendresse, le respect, la légèreté, la délicatesse. Une vie bénie, en somme. Parfaite. Seulement, dans cette absolue perfection, je n'avais pas prévu qu'un jour, ma route croiserait celle de Benoît.

C'était un jour de février qui ressemblait à un jour de mai. Il faisait beau et chaud et, pour cette raison, j'ai demandé au taxi de m'arrêter à l'angle de l'avenue George-V et de la rue François-Ier. Je devais retrouver une actrice dans un café du début de l'avenue Matignon, mais j'étais en avance et j'avais envie de marcher un peu, de m'emplir les poumons de cette saison que j'espérais nouvelle, l'hiver avait été si rude. J'ai ôté ma veste et mis mes lunettes de soleil, puis je me suis engagée dans cette rue pentue qui mène à l'avenue Montaigne. Les boutiques de luxe se succédaient, les filles de magazine aussi, tout en jambes et en chevelure, et les hommes d'affaires attablés en terrasse les regardaient avec les yeux qui leur sortaient des orbites comme le loup de Tex Avery, c'était drôle, on se serait cru dans une comédie sur Paris filmée par un Américain, j'entendais presque la bande-son qui allait avec, et je marchais les yeux fermés le visage offert au soleil, j'avais une confiance totale en moi et en la vie – il ne pouvait rien m'arriver. Ce sentiment était dû au temps, bien sûr, mais aussi au fait que la sortie en salles d'*Un vrai salaud* ne s'était pas trop mal passée. Malgré les réticences du distributeur, nous avions fait un nombre d'entrées acceptable, Delon qui jouait le rôle principal était rassuré de la critique à son égard, du coup la boule qui m'avait noué la gorge pendant des semaines s'en était allée et enfin – *enfin* –, je commençais à mieux vivre le fait d'avoir renoncé à ma « mission » auprès des lycéens sur la question du racisme et de l'antisémitisme. Je m'étais longtemps sentie coupable de cette démission. Sans doute parce que j'avais profité de la sortie de mon film et des projections en province pour dire que je n'avais plus le temps de « m'engager », mais tout ce raout promotionnel n'avait duré que quelques semaines, si j'avais donc eu envie de poursuivre, j'aurais très bien pu retourner dans les lycées dès le lendemain de la sortie du film. La fille de l'Éducation nationale avec laquelle je m'étais entretenue me l'avait d'ailleurs suggéré. Elle m'avait dit *nous avons tellement besoin de gens comme vous, des gens de la société civile qui viennent parler à nos jeunes avec des mots qu'ils sont capables d'entendre, pas des mots savants ni conceptuels mais qui les touchent, des mots qui leur vont droit au cœur, ils ne sont pas racistes, vous savez, ils sont juste ignorants, ils*

27

vous disent que le sionisme c'est pire que le nazisme mais quand vous leur demandez une définition, il n'y en a pas un qui est capable de répondre. Vous ne mesurez pas tout ce qui sort après une intervention comme la vôtre.

J'avais dit que j'allais réfléchir, et j'avais passé plusieurs nuits à ne pas dormir. J'en avais aussi longuement discuté avec Adam, qui, lui, était pour que je continue. Il disait que le communautarisme avait ruiné le combat antiraciste et qu'il était maintenant en train de ronger le pacte républicain, que si l'on ne faisait rien, le retour du religieux flinguerait le concept de laïcité, et que la lutte contre le terrorisme resterait vaine si on ne s'occupait pas dans le même temps des banlieues, lesquelles resteraient le principal bastion de recrutement des djihadistes. Rien de nouveau sous le soleil, mais il fallait donc rester debout et se battre, disait-il encore. Toutes les actions comptaient. Il n'y avait pas de petites actions, pas de petits combats non plus, et je devais, sans me poser de questions, poursuivre le mien. Je savais qu'Adam avait raison, bien sûr, mais je n'y croyais plus. Les choses avaient tellement empiré depuis la sortie de mon livre sur l'assassinat d'Ilan Halimi. Nous étions pourtant descendus dans la rue, nous avions, une fois de plus, crié *Plus jamais ça !*, signé des appels à manifester, des tribunes dans la presse, monté des projets associatifs autour de l'écriture, du théâtre, du cinéma, nous avions même organisé des

28

voyages à Auschwitz avec des jeunes des quartiers, et qu'est-ce qui avait changé ? La France, le monde étaient-ils devenus meilleurs ? Pas pour les juifs en tout cas. En France, il y avait eu Merah, Nemmouche, les propos immondes de Dieudonné, les *Mort aux juifs* de la manif Jour de Colère dans les rues de Paris répétés inlassablement durant tout l'été par des jeunes de banlieue soutenant le Hamas contre Israël et qui s'en étaient pris à la synagogue de la rue de la Roquette, il y avait eu l'agression et le viol de Créteil, ces juifs chez qui on était entré parce qu'on les croyait riches, et puis l'attentat de *Charlie Hebdo* et la tuerie à l'Hyper Cacher de la porte de Vincennes, oui il y avait eu en France tous ces bains de sang, toutes ces vies arrachées, celle de cette petite fille de huit ans, Myriam Monsonego, tirée par les cheveux jusque dans la cour de son école parce qu'elle cherchait à s'enfuir et qu'un monstre froid, à la manière des Einsatzgruppen, avait abattue d'une balle dans la tempe devant ses camarades, abattue comme un chien, comme Ahmed Merabet, ce gardien de la paix de quarante-deux ans déjà à terre vers lequel un des frères Kouachi était revenu pour être bien sûr de ne lui laisser aucune chance et auquel il avait éclaté la cervelle. Cette scène macabre avait été filmée par un riverain à l'aide de son téléphone portable puis postée sur internet où elle tournait en boucle et, comme beaucoup de gens, je l'avais regardée des dizaines de fois, hypnotisée par tant de haine, de violence et de calme froid. Le jour même, j'avais remplacé la photo de mes profils Facebook et Twitter par le logo *Je suis Charlie*, puis le dimanche suivant, avec Adam et les filles, nous étions descendus dans la rue pour défendre la liberté d'expression et dire non à cette barbarie, non à l'antisémitisme rampant, et c'est vrai que cela nous avait émus aux larmes de voir tant de gens sur les boulevards, tant de regards aimables et bienveillants, mais cette immense manifestation de paix et de fraternité n'était-elle pas un leurre ? N'y avait-il pas que des Parisiens ? Des bourgeois, des jolies familles, plein d'enfants, des vieilles dames en manteau de fourrure et des jeunes bobos en Stan Smith ? Où était la voix de la banlieue dont les tueurs étaient issus ? Nulle part, sinon dans les lycées professionnels et les collèges de ZEP où tant d'incidents avaient éclaté au lendemain des attentats. Certains élèves, entendait-on, avaient refusé de respecter la minute de silence en hommage aux victimes, d'autres avaient crié *Vive la kalach !* dans les transports en commun et cela ne m'avait pas surprise, en allant dans ces lycées, j'avais moi-même déjà entendu des *Gloire à Merah !* et autres provocations du même genre, mais cette fois-là était peut-être celle de trop. Au-delà du sentiment de ne servir à rien qui, rencontre après rencontre, me laissait un goût amer dans la bouche parce que je savais bien que, malgré tout ce que je pourrais dire et expliquer à ces adolescents, il y en aurait toujours trop pour croire encore que les juifs étaient riches, solidaires, qu'ils détenaient les rênes de la finance et des médias, qu'ils maîtrisaient le monde, j'avais maintenant *peur d'aller là-bas*. Peur pour moi. Oui, j'étais comme la grande majorité de Français de confession juive, je craignais pour ma sécurité, pour mon intégrité physique, et cette crainte était si viscérale que j'en étais même venue à dire, dans un accès de rage et de désespoir, que ce pays était foutu, qu'en tant que juifs, nous n'y avions plus notre place, plus aucun avenir. Adam était devenu fou. Il m'avait dit *je t'interdis de parler comme ça, la France est peut-être capable du pire, mais elle est aussi capable du meilleur ; la France c'est Voltaire, c'est les Lumières, et si ta propre grand-mère, qui pourtant a porté l'étoile, a décidé de rester dans ce pays au lendemain de la guerre, ce n'est pas un hasard.* Dorit était restée, en effet, bien que ce pays, qu'elle avait rejoint afin d'échapper aux pogroms d'Odessa dont elle était originaire et qu'elle vénérait littéralement pour ses idées, sa culture et surtout sa *langue*, cette langue qu'elle écrivait mieux que le russe parce qu'elle s'était mis en tête de marcher dans les pas de ses écrivains préférés, Hugo, Balzac, Maupassant, Chateaubriand –, eh bien ce pays-là, au final, n'avait pas fait d'elle un auteur, mais une veuve. Son mari, Chaskiel, arrêté par la police française, n'était jamais rentré des camps. Je savais qu'il avait été raflé comme elle à Lyon en 1943, puis transféré

31

à Compiègne et, de là, déporté vers un camp nazi. Mauthausen ou bien Auschwitz, les versions familiales divergeaient, tout comme les raisons pour lesquelles Dorit avait réussi à quitter Compiègne avant qu'on ne la mette dans un wagon à bestiaux. J'avais entendu parler d'évasion, puis de sauvetage par un officier nazi tombé amoureux d'elle. Officier nazi ou collabo français, je ne me souvenais plus très bien, sinon que cet épisode était nimbé d'un certain malaise et que l'enfant que j'étais avait vite compris qu'il ne fallait pas poser de questions. Mais j'avais très bien vécu, pendant trente ans, dans cette ignorance-là. C'étaient les événements récents qui venaient de changer la donne. Désormais, il m'arrivait de plus en plus souvent de penser à ma grand-mère Dorit. De me demander comment elle avait pu, après la Libération, renouer avec sa vie d'avant, retrouver confiance en son pays, et avoir l'espérance que la Shoah débarrasserait définitivement la France et le monde de l'antisémitisme. Et c'était peut-être dur à entendre, mais lorsque sur Twitter, des inconnus me traitaient de *sale pute sioniste* ou me conseillaient d'aller faire une *petite cure de Zyklon B* simplement parce que j'avais écrit ce livre sur Ilan, j'en voulais à Dorit. Je me disais que si elle était partie en 1945, si elle avait émigré à l'autre bout du globe, en Amérique du Sud ou pourquoi pas en Asie – oui, pourquoi pas, après tout ? –, eh bien je n'aurais peut-être pas été confrontée à cela, et je n'aurais pas eu cette crainte, totalement irrationnelle puisque jamais rien ne se rejoue à l'identique, de voir l'histoire se répéter.

Quand je tenais à Adam ce genre de raisonnement, cela l'affolait. Il ne comprenait pas que l'antisémitisme puisse m'atteindre à ce point. Ma peur lui échappait complètement, et elle lui semblait aussi malvenue que s'il s'était mis, lui, le chirurgien, à paniquer à la vue du sang. Je ne pouvais pourtant rien y faire. Je n'avais plus la force, le courage d'être confrontée à cette violence, ni dans mon travail d'écriture ni dans ma vie de citoyenne, en allant à la rencontre d'un public susceptible, à tout instant, de déraper, et cette impossibilité soudaine était sans doute due au fait que j'avais animé trop de rencontres, partout dans toute la France, autour de la question de l'antisémitisme, et que cette question-là n'était pas pour moi un sujet tout à fait comme les autres puisqu'elle me renvoyait à mon histoire personnelle. Une histoire tragique dont je ne connaissais que des bribes et qu'il faudrait bien aller creuser un jour, quand le désir viendrait de la mettre en mots, mais je n'étais pas pressée de le faire. Pour l'heure, je venais de sortir un film, je voulais en réaliser d'autres, j'avais aussi dans l'idée d'écrire un roman intime et intemporel, sans aucun lien avec l'actualité, une grande histoire d'amour par exemple ! Et puis je souhaitais m'occuper de mes filles, prendre le temps de les voir grandir et réaliser avec Adam de nouveaux projets comme celui, qui nous tenait tant à cœur, d'acheter une maison sur la plage à Benerville, bref, aussi banal et égoïste que cela puisse paraître je voulais juste *être heureuse*, et, cet après-midi-là, profitant du bonheur qui m'était offert de marcher seule au soleil dans Paris pour retrouver une jeune actrice de l'autre côté des Champs, je crois que pour la première fois depuis très longtemps je l'étais vraiment, *très simplement*.

En bas de l'avenue François-Ier, juste après Europe 1, je suis passée devant le Café Mode et j'ai entendu quelqu'un héler mon prénom. J'ai tout de suite reconnu la voix de Pierre Lévy. C'était un grossiste du Sentier reconverti dans la production de cinéma, adepte de gros cigares, grand séducteur devant l'Éternel mais qui ne couchait qu'avec sa femme – *quelqu'un de bien*. Je me suis arrêtée. Il s'est mis à répéter mon prénom mais cette fois mon nom de famille aussi, tout attaché, avec un accent américain à couper au couteau comme s'il annonçait l'entrée en scène d'une rock star – *Amileefresh* – puis pour se faire remarquer, avec emphase il a dit *la-réalisatrice-la-plus-prometteuse-de-Paris-mais-qui-malheureusement-ne-veut-pas-travailler-avec-moi* et j'ai eu envie de creuser un trou pour m'y enterrer, tout le monde nous regardait.

Il m'a proposé de m'asseoir. J'ai répondu que je ne pouvais pas, j'avais rendez-vous avec une actrice.

– Laquelle ?! a-t-il éructé.

– Une jeune, tu ne connais pas.

– Alors, on s'en fout ! Qu'est-ce que tu veux boire ?

Il n'était que quinze heures trente, mais Pierre était déjà bien chargé. Les clients en terrasse nous regardaient toujours et j'ai compris que si je ne voulais pas d'esclandre, je n'avais pas d'autre choix que de lui obéir – Pierre était un homme scandaleux. Je me suis assise à sa droite et sans demander mon reste, j'ai passé commande. Quelques minutes plus tard, le serveur m'apportait un café allongé. J'ai porté la tasse à mes lèvres, et c'est à ce moment-là que j'ai vu Benoît passer devant nous. J'ai alors poussé un cri : je venais de me brûler le bout de la langue, comme pour me donner un avant-goût de ce qui m'attendait.

Benoît avait peut-être cinquante-cinq ou soixante ans, une allure sévère, des petites lunettes à monture en titane qui n'arrangeaient rien, pas de lèvres, une carrure imposante, un trois-quarts austère et des chaussures à grosses semelles – je l'aurais volontiers vu dans un film sur la Stasi. Je ne le connaissais pas personnellement, mais j'avais une vague idée de son travail. C'était un écrivain talentueux qui avait eu son heure de gloire dans les années 1990, mais qui n'avait désormais plus grand-chose à raconter. Ses livres ne se vendaient plus. Il signait en revanche dans presque tous les journaux, et les lecteurs de ses chroniques étaient fidèles. Il était également juré dans de nombreux prix, ce qui lui valait d'avoir une influence certaine dans le petit milieu littéraire parisien. J'avais lu quelques-uns de ses romans mais pas tous – les gens aimaient dire qu'il en écrivait trop, ce que je trouve grotesque comme remarque car on n'aurait pas idée de reprocher à un ébéniste de faire trop de tables ou à un boulanger trop de pains – ils disaient aussi, ces mêmes gens, qu'il avait une plume *aiguisée comme un couteau*, ou bien *trempée dans l'airain*, ou encore *dans l'acide*, bref qu'il était *sans pitié*, mais c'était dans ses textes les plus personnels, empreints de mélancolie et de tendresse que moi il me touchait le plus. Je n'aimais pourtant pas ce qui se dégageait de sa personnalité. C'était un homme trop cinglant pour ne pas être abîmé, or, comme tous les grands abîmés, je le soupçonnais d'être capable du pire. Et les gens capables de cela m'ont toujours pétrifiée.

Il nous avait vus. Il a ralenti puis s'est arrêté tout à fait à notre hauteur. Seule la table de la première rangée nous séparait.

– Mais on croise tout Paris, ici ! s'est exclamé Pierre, qui n'aimait rien plus que la vie quand elle ressemble à une scène de cinéma.

J'ai eu à nouveau honte de lui, ce qui était parfaitement idiot car il n'était ni mon père ni mon mari, et je me suis sentie rougir. Benoît m'a adressé un regard tendre qui semblait vouloir dire ne vous inquiétez pas, je vous pardonne d'avoir d'aussi mauvaises fréquentations.

– Vous vous connaissez ? a demandé Pierre en nous présentant.

– Oui, on se connaît, a dit Benoît une fois qu'il se fut approché. On s'est croisés à la terrasse du Rostand il y a peut-être un an.

Et se tournant vers moi :

– Vous m'avez salué de loin.

C'était faux. Ou alors je ne m'en souvenais guère, ce qui prouve combien une rencontre est toujours une question de moment. Puis il a ajouté :

– Mais je n'étais pas sûr que ce soit vous.

– Qui d'autre ?

– Une fille dans les services secrets qu'on m'avait présentée il y a longtemps. Vous vous ressemblez beaucoup.

Dans les services secrets ?! Se foutait-il de moi ? J'en aurais toujours l'impression avec lui. J'ai esquissé un léger sourire, pensant vraiment qu'il n'y allait pas avec le dos de la cuillère, mais me disant tout de même qu'il n'était pas si mauvais, car je savais bien que jamais je ne pourrais oublier une phrase pareille.

Il avait pris un tabouret et s'était assis face à nous. Pierre lui demandait des nouvelles d'un ami commun, académicien, avec lequel il semblait avoir déjeuné la semaine précédente. De grosses gouttes de sueur, semblables à des cloques, constellaient son front, et je craignais que les mêmes percent à mes tempes. Nous étions en plein soleil. Les rayons se réfléchissaient dans la vitre contre laquelle nous étions adossés, il faisait une chaleur épouvantable, et j'avais soif, ma gorge était sèche, elle me brûlait, mais je n'avais plus le temps de commander autre chose : l'horloge de mon portable indiquait quinze heures cinquante, il ne me restait plus qu'une dizaine de minutes avant mon rendez-vous et je ne voulais pas être en retard. J'ai attrapé les anses de mon sac, Benoît a vu alors que j'allais me lever et pour m'en empêcher, il a dit :

– Et sinon ? Vous ne deviez pas faire un film ? J'avais lu ça quelque part.

Je suis restée assise. Je me suis mise à tousser, comme pour remettre en moi quelque chose de déplacé – mon ego, sans doute –, puis je lui ai répondu qu'*Un vrai salaud* était sorti un mois plus tôt, et dans ma tête, agacée, j'ai répété *salaud !*, car je me souvenais très bien lui avoir envoyé une invitation pour la première. Président d'un ou deux festivals, juré dans d'autres, Benoît faisait partie de cette race de gens dont on trouve le nom, l'adresse et le numéro de téléphone dans le répertoire de toutes les attachées de presse de Paris.

– Ah non, je n'ai jamais reçu d'invitation ! s'est-il offusqué, sinon je serais venu, bien sûr.

Il mentait plutôt bien. Mais beaucoup moins bien que moi, qui lui ai répondu en souriant :

– Je vous avais même écrit un petit mot personnel.

J'ignorais pourquoi, mais ce type me donnait envie d'avoir le dernier mot, et j'ai quitté la table sur-le-champ pour qu'il ne puisse pas rebondir.

– Oh, non, vous partez déjà ? a-t-il quand même réussi à placer. Mais c'est pour vous que je me suis assis ! Envoyez-moi au moins votre film, ça me ferait plaisir de le voir !

J'ai dû rire et lever les yeux au ciel, penser *quel dragueur* comme nous le pensons toutes quand un homme nous adresse un compliment, comme si les compliments étaient des miracles ou des mensonges, des cadeaux trop beaux pour nous être destinés, mais quand est venu le soir et qu'Adam m'a fait les cheveux avec toute la tendresse dont il était capable, c'est à ce cadeau-là que je pensais encore.

Le lendemain de cette rencontre, comme il me l'avait demandé, j'ai adressé à Benoît une copie d'*Un vrai salaud*, adapté du roman éponyme et largement autobiographique que j'avais écrit sur mon père. J'ai envoyé le roman aussi. J'avais donc très envie de le revoir, ou bien alors j'étais très intéressée, parce que vu sa position, évidemment, il pouvait m'aider, faire parler du livre, rédiger un article dessus, le glisser dans une ou deux listes de prix – jamais sinon je n'aurais pris cette double peine. Mais à ce moment-là, ce n'était pas une envie ou un intérêt conscient, assumé, je le sais parce que je me revois très bien lui écrire une carte pour accompagner cet envoi : dans mes gestes, il n'y a pas la moindre hésitation, pas d'ambiguïté non plus dans les mots que je choisis. C'est le matin, très tôt, je suis à mon bureau, mon stylo-plume n'a plus d'encre mais je ne cherche pas à remplacer la cartouche, je me fiche d'écrire au plume ou à autre chose, d'ailleurs j'attrape le premier Bic venu, un vieux Bic tout pourri dont je sais qu'il enlaidira fatalement mon écriture mais quelle importance ? Ce n'est pas un exercice de style, encore moins une entreprise de séduction – *je le jure !* –, la preuve, je griffonne sur la carte ivoire une formule type, le genre de formule qu'on utilise pour n'importe qui : *Cher Benoît, voici, comme promis*, et puis *bien à vous* – je ne lui laisse ni mon adresse ni mon numéro de téléphone.

Cela ne l'a pas empêché de se le procurer, ni de me donner de ses nouvelles le soir même par texto. Je me trouvais près du canal Saint-Martin, à un apéro dînatoire chez un parent d'élève du lycée Lucie-et-Raymond-Aubrac où j'étais intervenue l'année précédente, et qui faisait suite au rassemblement organisé pour dénoncer un avis d'expulsion visant la famille d'une élève géorgienne. J'étais venue en soutien, et aussi pour voir mon amie Gabrielle dont le fils était scolarisé dans ce lycée, mais à qui je n'avais presque pas parlé depuis la sortie de mon film. J'étais heureuse de la retrouver, elle m'avait manqué. Et j'étais justement en train de le lui dire lorsqu'un joli garçon aux cheveux un peu sales et keffieh autour du cou, plus jeune qu'elle, est venu l'attraper par la taille. J'ai compris qu'il s'agissait de Diego, son amoureux du moment. Elle m'en avait parlé la veille au téléphone, pour me dire qu'il était membre du Réseau éducation sans frontières et qu'il la baisait *comme Dieu*. Je m'étais demandé tout l'après-midi comment Dieu pouvait bien baiser, et si elle m'avait sorti cette formule pour fanfaronner ou parce qu'elle connaissait ma situation avec Adam et qu'elle espérait me faire réagir. Je n'avais jamais rien raconté à Gabrielle de ma vie intime avec mon mari, mais j'étais persuadée qu'elle avait tout saisi et, malgré l'amitié que je lui portais, j'éprouvais toujours un certain malaise en sa présence – le sentiment d'avoir moins d'ambition pour ma vie, d'être passée du côté de ceux qui se contentent de ce qu'ils ont, qui n'osent plus vouloir mieux, vouloir plus, comme si cette exigence était une prétention que les gens, à compter d'un certain âge, ne vous pardonnaient pas, et lorsque tout à coup Diego, après avoir appris que j'avais écrit un livre sur Ilan Halimi, m'a demandé, de but en blanc, si je cautionnais la politique d'Israël, j'ai eu le sentiment que c'était le tour de Gabrielle d'éprouver cette sensation si désagréable.

– Je ne vois pas le rapport, l'a-t-elle tout de suite coupé.

Je lui en ai quand même voulu un peu. Avait-elle besoin de parler de ce que j'avais écrit ? Je ne voulais plus, moi, en dire un mot. Je ne voulais plus rien entendre non plus, ni lire quoi que ce soit sur les juifs et sur l'antisémitisme, et encore moins sur Israël car c'était devenu des sujets qui me terrifiaient, au même titre que la peine de mort ou l'avortement, des sujets que les gens abordaient toujours avec ce qu'ils avaient de pire en eux, et qui vous faisaient les désaimer en une seconde.

– Tu ne vois pas le rapport entre la haine que peuvent avoir certains ici contre une communauté qui soutient massivement Israël et la politique odieuse de ce gouvernement ? a répété Diego à Gabrielle. C'est plutôt emmerdant, va falloir que je t'achète des lunettes. C'est quand, déjà, ton anniversaire ?

Gabrielle n'a pas répondu à cette provocation, mais le ton est tout de même monté entre eux. J'ai dû faire une blague pour détendre l'atmosphère, il y a eu trente secondes de répit puis Diego est revenu à la charge :

– Bon, Israël, sujet tabou, j'ai compris. Alors de quoi on parle ? Tes projets ? Tiens, en ce moment par exemple, t'écris quoi ?

– Un livre de cul.

C'est sorti tout seul, pour couper court à la conversation, mais ça n'a visiblement pas marché puisque Diego a rétorqué :

– De cul genre SAS ? *Ouaaaaouh !* Moi qui pensais que tu te branlais...

Il s'est mis à rire, les gens qui nous entouraient aussi, puis, toujours hilare, il a hoqueté :

– Pardon, je suis vraiment con... Non, mais quoi, c'est vrai, les écrivains, ils se branlent un peu, quand même ! *Ouais, tu comprends, je suis mââââl, j'écris, là...* T'écris où, toi ? Chez toi ? Mais non, je suis bête, au café, bien sûr ! Comme *le Castor* !

Et en plus, il avait de la culture, ce con.

– Diego, a dit Gabrielle. C'est bon, maintenant, ça suffit.

– C'est pas vrai, t'écris pas au café ? T'écris où, alors ? Sur ta machine à laver ?

– Voilà.

– Non mais *sérieux*, ça m'intéresse ! Ça intéresse tout le monde *les coulisses de la création*, pas vrai ?

– Ok, a dit Gabrielle, moi je vais me chercher un verre.

Désespérée, je l'ai regardée partir vers le buffet, et Diego a continué :

– Donc Gabrielle, qui est ton amie, s'en fout. Au moins maintenant, tu le sais. Et toi, Sylvie, tu t'en fous aussi ?

Sylvie était une prof d'histoire-géo qui vivait avec un auteur dramatique, elle connaissait bien le sujet. Elle a répondu que non, elle ne s'en *foutait* pas du tout, qu'elle était même beaucoup plus proche de Sainte-Beuve que de Proust dans sa façon d'aborder les textes, et ce retour au sérieux m'a obligée à lui répondre tout aussi sérieusement. J'ai donc avoué, pauvre folle, que j'écrivais dans mon lit.

– Dans ton lit ?! a bondi Diego, non mais je rêve ! Vous entendez ça, les mecs ? Cette meuf passe ses journées dans son pieu, putain ! Dans-son-pieu ! Ah, c'est dur la vie d'un écrivain !

Il a esquissé trois pas de danse, puis a pris la pose du *Penseur* de Rodin et ç'a été le fou rire général. J'ai tenté de sourire aussi mais, en vérité, je me sentais seule comme on ne peut l'être que dans une cour d'école. Leurs rires bourdonnaient à mes oreilles, et j'avais l'impression qu'à travers eux, ils me disaient combien ils m'avaient trouvée minable d'abandonner les élèves d'Aubrac juste pour ça – pour *écrire*. Ils militaient presque tous dans des partis de gauche, ils appartenaient à des associations de luttes diverses et l'engagement était pour eux une valeur essentielle. Seulement, ils ne considéraient pas que l'écriture en soit un. Un moment, j'ai eu envie de leur dire qu'ils se trompaient ; qu'on ne pouvait rien faire d'autre lorsqu'on écrivait, mais je savais que ça ne servait à rien. J'ai regardé ma montre. Il était déjà vingt et une heures. Adam m'avait promis de quitter tôt l'hôpital et j'avais hâte qu'il arrive. Comme toujours, ce serait lui qui me sauverait. À peine apparaîtrait-il que ce serait comme de voir le soleil – toutes les têtes se tourneraient vers lui. Il aurait sans doute un bouquet pour notre hôte, il embrasserait chaleureusement les filles comme les garçons, puis il se mettrait à raconter une blague ou bien sa dernière mésaventure et les gens le trouveraient génial, *formidable*, ils viendraient tous me voir et me dire *voilà, je te le dis, j'adore ton mari ! Quel*

humour, quelle intelligence, quelle générosité ! Je
me rappellerais alors qu'Adam est ma plus grande
qualité, je ne voudrais l'avoir que pour moi, à
l'oreille je lui dirais *j'ai faim, emmène-moi manger
des huîtres dans une brasserie* et cinq minutes plus
tard, nous serions là où nous sommes toujours le
mieux – n'importe où mais rien que tous les deux.

J'ai entendu mon portable biper dans le fond de
mon sac, avec un peu de chance c'était peut-être lui.
J'ai vite plongé mon bras à l'intérieur mais tout y
était en vrac, je n'arrivais pas à mettre la main dessus et j'ai raté l'appel. Le petit cercle qui m'entou-
rait était passé à un autre sujet. Je me suis éclipsée
discrètement. J'ai rejoint l'entrée, déballé sur une
console toutes mes affaires et trouvé enfin mon
iPhone. Sur l'écran verrouillé, il y avait comme je
m'y attendais *1 appel en absence* – d'Adam – mais
aussi une petite enveloppe indiquant la réception
d'un nouvel SMS. Le numéro dont il provenait
n'était pas enregistré dans mes contacts. Et il ne
me disait rien. J'ai composé mon code, puis cliqué
sur la petite enveloppe et découvert le premier du
millier de textos que Benoît m'enverrait au cours
de ce printemps-là. Ce texto disait :
*Surtout, n'en voulez pas à Pierre, je l'ai torturé
toute la soirée pour qu'il me donne votre numéro.
Votre film m'a impressionné, ça ne m'arrive pas
souvent. Bravo, vraiment.*
Je vous embrasse, Benoît.

Je me suis sentie flattée, ce n'était pas quelqu'un qui avait le compliment facile. J'ai souri comme au contact d'une caresse agréable, relu le texto une ou deux fois, puis j'ai senti des mains se glisser doucement autour de ma taille et cela m'a fait sursauter. Lorsque je me suis retournée, j'étais dans les bras d'Adam. Il avait un visage radieux et il m'a embrassée lui aussi, mais sur le front.

Benoît aimait autant les femmes que le cinéma, c'était de notoriété publique, et sans doute est-ce pour cette raison que ce premier message ne m'est pas apparu comme une vieille technique de drague totalement ringarde, mais au contraire comme le signe d'une certaine élégance, celui d'être capable de séduire une femme et, dans le même temps, de lui trouver du talent, ce qui n'était pas si fréquent chez les machos dans son genre. J'ai donc répondu le soir même, mais seulement une fois rentrés chez nous, alors qu'Adam s'était déjà mis au lit et que je me démaquillais dans la salle de bains. La porte qui me séparait de la chambre était entrouverte. Dans le reflet du miroir, je pouvais distinguer une partie du téléviseur et le scandale du moment qui repassait en boucle sur BFM. C'était un écran plasma dernier cri que nous avions acheté chez Darty l'année précédente, en même temps que le frigo, l'aspirateur, le lave-vaisselle et le sèche-linge.

Nous venions d'emménager et nous avions décidé de tout changer. *Tout*, excepté cette sale manie de mettre un téléviseur dans notre chambre. Je n'arrivais pas à me souvenir de l'appartement dans lequel nous avions pour la première fois commis ce crime. Je voyais la rue du Mont-Thabor avec ses murs pleins de mes livres, sa cheminée remplie de cierges d'église, je visualisais le salon qui faisait office de chambre, de bureau, de cuisine et, dans ce décor unique, deux amants qui n'avaient rien d'autre à faire que s'aimer puis, sans transition, le couple que nous formions désormais Adam et moi, dos à dos dans ce grand lit moelleux d'hôtel cinq étoiles – que s'était-il passé entretemps ? Dans quel arrondissement avions-nous vécu ? Avec quels vêtements, quelles coupes de cheveux ? Je n'en avais pas la moindre idée, mais je sentais que si je continuais à y penser, cette amnésie soudaine ferait naître en moi une angoisse sans fin et ce n'était pas le moment, il fallait que je tape ma réponse. J'ai tapé *cher Benoît*. Ensuite, je me suis arrêtée une seconde. J'ai commencé un début de phrase qui m'a déplu, je l'ai effacé, et le *cher Benoît* avec, avant de le récrire aussitôt, puis je me suis encore arrêtée – *cher Benoît*. Cher Benoît QUOI ? Je n'arrivais pas à aller au-delà. Une bonne minute s'est écoulée et l'infernal habillage sonore de BFM, en tout point semblable à la bande-son d'un film catastrophe, a attiré mon attention. La photo d'un maire décrié occupait tout l'écran. Confondu par un faisceau

49

de preuves accablantes, l'homme avait dû avouer devant la France entière qu'il avait bel et bien des propriétés à l'étranger payées avec de l'argent volé dans les caisses, tandis que sa femme devait réunir 1 million d'euros pour échapper à la case prison. Et, sous couvert de vouloir sauver le peu de confiance qu'il nous restait dans le politique, l'ensemble des élus – tous bords confondus –, n'avaient plus qu'un seul mot à la bouche : *transparence*. On les voyait à présent défiler les uns après les autres dans les couloirs de l'Assemblée, crachant leur fiel à tour de rôle, le visage outré à l'excès comme s'ils étaient tous irréprochables – la meute était lancée. Je suis retournée à mon portable en pensant que la seule chose à retenir de cette histoire était de ne jamais se faire prendre, et j'ai commencé un nouveau début de phrase à l'adresse de Benoît.

– Non, mais tu entends ça ?! a dit Adam depuis la chambre. Chérie, écoute ça, c'est dingue !

J'ai relevé la tête et constaté, toujours dans le miroir, que la photo du maire avait disparu. À la place, deux journalistes, en plateau, recevaient un membre du gouvernement. Je ne me souvenais plus de son nom, mais je l'ai écouté énumérer la liste de ses biens avec cette fausse modestie qu'ont les riches quand ils veulent se faire passer pour des pauvres, et c'était pathétique. Il disait *j'ai un appartement de quatre-vingt-dix-huit mètres car-rés à Paris que je possède pour moitié avec ma mère et sur lequel j'ai encore un crédit de quinze ans, une Mégane Estate payée en leasing, j'ai aussi une petite maison dans la Drôme dont j'ai hérité de mon père, et deux vélos de compétition, un ici et un là-bas.*

– Deux vélos ! s'est époumoné Adam. Ce type a fait l'Ena, il est ministre de la République, il occupe une des plus hautes fonctions de l'État, et il en est réduit à venir sur un plateau de télévision pour nous expliquer qu'il possède deux vélos ?! Je t'en supplie, viens écouter ça, c'est du délire !

– J'entends d'ici.

J'entendais même trop bien, ce qui m'empêchait de me concentrer. J'étais donc cette fille, sans doute la seule au monde, qui avait besoin de concentration pour répondre au texto d'un type qu'elle avait vu cinq minutes dans sa vie – *la misère* ! Je ne savais pas comment tourner ma réponse. Tout me paraissait bête, niais, inapproprié, qu'est-ce que je pouvais bien lui dire ?! *Merci, cher Benoît, d'avoir vu mon film si vite et de l'avoir aimé* ? Non, ça n'allait pas. On ne pouvait pas remercier quelqu'un d'aimer ! Aimer n'était ni un service ni un compliment, ça n'était même pas un fait exprès. Une nouvelle fois, j'ai effacé ce que je venais de taper, puis je me suis appliqué une lotion apaisante sur le visage en espérant que l'inspiration viendrait, mais bien sûr rien n'est venu et j'ai calé à nouveau après *cher Benoît*.

– Qu'est-ce que tu fais ? Tu viens ? a dit Adam.

– J'arrive !

51

Il fallait répondre quelque chose, et vite, je n'avais pas la nuit, si bien que dans la précipitation, j'ai pianoté la première chose qui m'est passée par la tête, *j'en aurais beaucoup voulu à Pierre s'il avait refusé de vous donner mon numéro*, puis sans me relire, j'ai appuyé sur la touche « Envoyer » et je suis allée rejoindre Adam dans notre lit.

Qu'est-ce qui m'avait pris ?
J'étais devenue folle ou quoi ?
Subitement, j'ai senti mes joues s'enflammer comme du bois sec et j'ai voulu me relever pour envoyer un autre message, pire encore, qui aurait dit *pardon, je suis désolée, ne tenez pas compte de ce que je viens de vous écrire, j'ai une sorte de maladie étrange qui me fait dire n'importe quoi sans compter que j'ai bu ce soir, je suis complètement ivre, alors s'il vous plaît, oubliez ce que vous avez lu, je suis une femme mariée, j'ai deux enfants, un chien, des poissons rouges, j'ai même déjà un amant, on ne couchera jamais ensemble.*

Il était pile une heure du matin.
À nouveau, a éclaté la musique cauchemardesque de BFM, suivie des grands titres du jour, et le visage du maire devenu escroc public numéro un est réapparu en plein cadre.
– Bientôt, a dit Adam, ils se sentiront obligés de nous dire avec qui ils couchent. Ils déclareront chacune de leurs parties de baise devant huissier,

ils mettront des caméras chez eux pour avoir des preuves au cas où, et on publiera tout ça au *Journal officiel*. Quelle société de merde ! Toute cette transparence me dégoûte. Pas toi ?

Je suis restée sans réaction, encore horrifiée par le message que je venais d'envoyer.

— Pas toi ? a répété Adam.

— Si, si…

— Comment veux-tu que ce pays s'en sorte ? Les gens qui nous gouvernent n'ont aucun projet, aucune vision de rien. Ils sont tous corrompus jusqu'à l'os… Si tu ajoutes à cela le chômage, la crise financière et la montée des extrêmes à travers toute l'Europe, eh bien tu obtiens le cocktail explosif dont on sera, comme d'habitude, les premières victimes. En fait, c'est peut-être toi qui avais raison, cette histoire va mal finir.

J'ai pensé *oui, très mal finir*, et Adam a changé de chaîne. Sur la suivante, nous avons eu droit à une série de cartes de France où des traits figurant la pluie hachuraient presque chaque ville. Paris n'était pas épargné. Après cette journée splendide où j'avais rencontré Benoît, il pleuvrait donc jusqu'au début de la semaine suivante, quant aux températures, elles repasseraient sous la barre des cinq degrés.

— Sympa, a commenté Adam. Entre la politique et la météo, on est gâtés. J'ai l'impression que la lumière ne reviendra jamais. C'est déprimant.

— Si, ai-je répondu, elle reviendra ; mais jamais comme avant.

Mon mari m'a regardée d'un air étrange, d'un air de dire *mais qu'est-ce que tu racontes ?*, et à ce moment-là, j'ai compris que je ne parlais pas du temps mais de nous, évidemment. C'était à cause de ce foutu texto que je venais d'envoyer à Benoît. Jamais encore je n'avais envoyé de texto à quiconque en présence d'Adam, mais si maintenant j'en étais capable, si maintenant je me mettais à converser avec un inconnu alors que nous étions tous les deux au lit, dans l'intimité de notre chambre, cela signifiait, en effet, que rien ne serait *plus jamais comme avant*.

— Avant, j'ai dit d'une voix triste, tout était à sa place. On savait exactement à quoi s'attendre, il y avait des giboulées en mars et de la neige en décembre, c'était peut-être sans surprise, mais au moins c'était simple. C'était bien. Tu crois qu'on a changé, nous aussi ? Tu crois qu'on change forcément, qu'on n'est plus les mêmes personnes que celles qui se sont rencontrées il y a quinze ans ?

Adam m'a regardée en souriant, attendri, tandis que je fixais, accablée, un point imaginaire dans la blancheur de nos draps. J'avais une boule à la gorge et qu'une envie, qu'il me serre fort dans ses bras. Il ne l'a pas fait, mais il a dit :

— Toi non. Toi, tu n'as pas du tout changé. Tu es exactement la même que lorsque je t'ai connue, une petite fille.

Et dans sa bouche, cela signifiait *tu as toujours autant le sens du drame*.

J'ai pensé qu'il avait raison, il fallait que j'arrête : les textos n'engageaient à rien et ils s'effaçaient, ce n'était pas non plus la fin du monde.

– Je peux te dire un truc ? m'a encore lancé Adam avant d'éteindre la lumière et la télé.

– Oui.

– Je t'aime.

– Moi aussi.

C'était vrai. Je ne lui mentais pas. Pourtant, j'ai eu l'impression que ma voix sonnait comme une politesse et j'ai regretté de ne m'être pas contentée d'un sourire. Il fallait arrêter de se dire qu'on s'aimait. On se le disait trop. On se le disait sans arrêt, à la fin, ça n'avait plus de sens, mais puisqu'on ne baisait plus, que nous restait-il ? Ces *je t'aime* nous donnaient bonne conscience. Ils nous permettaient de nous tourner le dos sans scrupules ni culpabilité, ce que dans le noir nous venions juste de faire et, au fond, lui comme moi, c'était tout ce qu'on voulait.

Mon iPhone a bipé. Adam, surpris, a demandé :

– Qu'est-ce que c'est ?

J'ai tout de suite pensé : *Benoît.* Les battements de mon cœur se sont accélérés, ma bouche est devenue sèche comme un puits vide, mais je suis tout de même parvenue à murmurer :

– Mon portable.

Je me suis levée la peur au ventre, j'ai marché à tâtons jusqu'à la salle de bains, et sur la paillasse du lavabo, j'ai vu mon smartphone qui diffusait un halo de lumière verte. Je me suis approchée. C'était bien Benoît, je ne m'étais pas trompée, et il me proposait de le retrouver le lendemain à quinze heures au bar du Lutetia.

Mon cœur battait toujours à mes tempes, dans le fond de ma gorge, mais je ne savais pas si c'était parce que le téléphone nous avait surpris au lit et dans le noir, ou pour ce premier rendez-vous. J'ai décidé qu'il était de toute façon beaucoup trop tard pour répondre. Je me suis contentée de couper cette maudite sonnerie, j'ai pensé que demain serait un autre jour et je suis retournée me coucher.

– Alors, c'était qui ? a demandé Adam.

Les propos qu'il avait tenus un quart d'heure plus tôt sur son dégoût de la transparence me sont revenus, et j'ai eu envie de les lui retourner, comme habitée d'une cruauté nouvelle. Ça m'a fait peur, ça ne me ressemblait pas. Je me suis mise à tousser, comme pour chasser de moi cette vilaine envie, puis j'ai bafouillé :

– Un producteur. Il est à Los Angeles, il n'a pas fait attention au décalage horaire.

Adam a dû dire quelque chose comme *ah, très bien*, et il s'est aussitôt endormi. Il s'endormait toujours avant moi. Il tombait d'un seul coup, comme ça, *pof*, je ne savais pas quel était son secret. Ça me rendait tellement jalouse. Moi, je pouvais rester des heures les yeux grands ouverts, à scruter l'obscurité et à écouter le silence. J'ai senti ce soir-là que c'était exactement ce qui allait arriver, et j'ai préféré me relever tout de suite. Je suis allée récupérer mon portable dans la salle de bains, puis j'ai pris un livre au hasard dans la bibliothèque et je me suis installée sur le canapé du salon. C'était un roman de James Salter qui s'appelle *Un bonheur parfait.* Drôle de hasard. J'ai fixé ce titre un certain nombre de secondes, comme pour me le rentrer dans le crâne, j'ai ensuite ouvert le livre, lu quelques phrases ici et là qui m'ont replongée dans le couple que formaient Nedra et Viri, et j'ai eu l'impression terrifiante que Salter me tendait un miroir. Ce couple qui filait *un bonheur parfait* mais qui au fond n'était pas si heureux nous ressemblait tellement… Vite, vite, j'ai reposé le livre, je ne voulais pas voir, et j'ai attrapé mon portable. Le numéro de Benoît n'était pas encore enregistré. J'ai hésité un instant à l'ajouter à mes contacts, ce que j'ai finalement fait sous la lettre B, puis j'ai relu les deux textos qu'on venait de s'échanger. Il était deux heures du matin, mais tout à coup, ça ne m'a plus semblé si tard pour répondre *oui, avec plaisir.*

Je suis arrivée au Lutetia le lendemain, il était quinze heures passées de cinq minutes. Benoît était déjà là, assis au fond de la grande salle, près des portes donnant accès au bar, et il s'est tout de suite levé pour m'adresser un signe de la main. Il était plus grand que dans mon souvenir, mais j'ai mis quelques minutes à réaliser que c'était lui. Je ne voyais pas très bien. J'avais des points lumineux devant les yeux et ça commençait à bourdonner à mes oreilles. Ces symptômes m'étaient venus d'un seul coup, en passant la porte à tambour. Pour une raison inexplicable, et alors que j'étais venue cent fois dans cet endroit sans jamais me poser la moindre question, le fait que ce lieu ait recueilli des déportés à leur retour des camps m'avait subitement assaillie. Je m'étais dit que ma grand-mère avait dû y passer des jours à attendre, en vain, mon grand-père, et me retrouver là alors qu'Adam était en train d'opérer et qu'il me croyait avec nos filles ou derrière mon bureau m'avait paru obscène, ça me porterait malheur. C'était un raisonnement grotesque, j'en avais bien conscience, mais plus ça allait, plus je sentais la crise de panique arriver. Pourquoi là ? Pourquoi maintenant alors que j'allais tranquillement boire un verre avec un écrivain qui avait aimé mon film ? J'avais bien le droit d'aller boire un verre, *nom de Dieu !* Un verre, c'était tout de même moins grave que de m'envoyer en l'air avec Benjamin comme je le faisais chaque semaine depuis trois ans... Debout au milieu de cette grande salle, perdue comme en pleine mer, j'essayais en tout cas de m'en persuader mais cela ne calmait rien, et lorsque enfin j'ai *vu* Benoît, parce que fatigué de me faire des signes pour rien, il avait décidé de venir à ma rencontre, j'ai pensé : partir. Là, maintenant, tout de suite – *fuir*. C'était encore ce qu'il y avait de mieux à faire, sans quoi l'étau qui m'enserrait la gorge se resserrerait davantage et je finirais par m'évanouir dans les bras de Benoît qui devrait alors prévenir Adam, et Adam me demanderait ce que je faisais au Lutetia un mercredi après-midi à quinze heures avec ce type plutôt que d'accompagner Suzanne à son cours de piano comme j'en avais l'habitude chaque mercredi depuis ses quatre ans, or à cette question il me serait impossible de répondre car je ne savais pas moi-même ce que je faisais là et ça aurait été le début des ennuis – je ne voulais pas d'ennuis, je n'en voulais aucun, j'adorais ma vie !

Benoît se trouvait maintenant devant moi, il était trop tard pour aller où que ce soit. Je me suis laissé embrasser sur les deux joues, puis avec un petit sourire malicieux, il m'a demandé pourquoi je faisais cette tête alors que le Lutetia venait tout juste d'être racheté par un groupe israélien. Le monsieur avait-il le pouvoir de lire dans mes pensées ? Je l'ai cru et je me suis mise à rire, c'était nerveux. Il a dit :

– Mais ne riez pas, je suis très sérieux ! L'ancien QG de la Geheime Feldpolizei appartient désormais au groupe Alrov. Belle ironie de l'histoire, non ? Ces juifs sont trop forts, je l'ai toujours pensé.

– Pourquoi vous me dites ça ?

– Mais parce que vous avez de l'imagination ! Je n'aimerais pas que vous supposiez que je cherche à vous replonger dans un passé douloureux. Moi, je ne vous veux que du bien, chère Émilie.

Personne ne vous disait jamais cela dans la vie et cette phrase, ou plutôt ce qu'elle signifiait a contrario, m'a fait un étrange effet. On aurait dit qu'elle s'était détachée du reste, comme une image détourée sur Photoshop. J'ai continué de l'entendre bien après qu'elle se soit diluée dans le bruit des gens autour, puis Benoît a proposé :

– On va s'asseoir ?

– Oui…

– Non ?

– Si, si.

– On peut aller ailleurs, si vous voulez. Je vous avais dit qu'un hôtel, c'était une mauvaise idée, pour une première fois.

Benoît m'avait en effet envoyé un message une demi-heure plus tôt pour changer le lieu de notre rendez-vous, prétextant que ce n'était pas très sérieux de se retrouver si vite à l'hôtel, et il avait proposé à la place Le Rostand ou Le Bonaparte, mais il l'avait fait alors que j'étais déjà en route et que mon portable se trouvait coincé dans le fond de mon sac de sorte que je n'avais pas pu l'entendre. Lorsque je l'avais consulté, il était trop tard : je me trouvais à l'angle de la rue de Sèvres et du boulevard Raspail. Face à mon silence, Benoît avait envoyé un second message qui disait :

Bon, vous ne me répondez pas, c'est donc d'accord pour l'hôtel. Mais le bar est complet. Je vous attends chambre 666.

Cela m'avait fait rire – encore. Ce n'était pourtant pas drôle, c'était le chiffre du diable. Et maintenant que nous étions tous les deux là, au bar, il ne me restait plus qu'à le suivre jusqu'à sa table.

*

– Vraiment bien, votre film, a-t-il dit pour commencer. Et Delon est génial. C'est une vraie nature. J'ai toujours pensé qu'il n'y en avait pas deux comme lui en France.

– Oui. Je n'aurais pas pu rêver mieux pour incarner mon père.

– Ou pour lui faire plaisir…, a-t-il nuancé. Comment l'avez-vous convaincu d'accepter le rôle ?

– Je lui ai dit que si ça n'était pas lui, ce ne serait personne.

– Malin.

– Non, j'étais sincère ! J'aurais vraiment abandonné le projet s'il m'avait dit non. Personne d'autre qu'Alain Delon aurait pu être mon père.

Benoît a souri, et ce que je venais de dire était tellement énorme que je me suis mise à rire aussi. Ensuite, il m'a demandé si j'avais vraiment tourné en Algérie, pays natal de mon père, et je lui ai expliqué que oui, en équipe réduite, pour toutes les scènes qui se déroulaient au cimetière Saint-Eugène à Alger. C'était là-bas que mon grand-père, tué de deux balles perdues pendant les événements, avait été enterré, et il me semblait important de ne pas tricher avec ce décor. Pour le reste, nous avions tourné à Paris, bien sûr, et puis à Tanger et Essaouira, deux villes ouvertes sur la mer et le vent qui, à certaines heures du jour, pouvaient rappeler Alger la Blanche. Benoît avait l'air très intrigué par mon père. Il voulait savoir s'il était aussi riche que je le prétendais dans mon livre, et s'il habitait réellement Marrakech, dans un palais semblable à celui qui clôturait *Un vrai salaud.* J'ai répondu oui pour la richesse mais pour le palais, je n'en avais aucune idée, je n'y étais encore jamais allée. Benoît a acquiescé d'un léger signe de tête. J'ai eu l'impression que ça signifiait *ah oui, maintenant, je comprends mieux,* sans avoir aucune idée de ce qu'il avait pu comprendre, et je me suis sentie nue tout à coup, vulnérable. C'était le problème lorsqu'on écrivait sur soi. Après, on ne pouvait plus jouer à rien. Les gens vous avaient lu, ils connaissaient votre ADN.

Un journaliste médiatique à la blondeur juvénile et dont je ne me souvenais plus du nom venait d'entrer dans la salle. Il marchait déjà dans notre direction pour venir saluer Benoît. Les deux hommes se connaissaient bien. Ils signaient dans le même hebdomadaire et siégeaient tous deux au jury d'un prix qui venait d'être décerné à une femme dont je n'avais pas aimé le livre.

— Mais enfin, on s'en fout du livre ! m'a dit Benoît quand le journaliste nous a eu quittés. Moi, je ne vote jamais pour un livre. L'avantage, c'est que ça me dispense de les lire.

— Vous parlez sérieusement ?

— Ben oui, pourquoi ? Je me fous complètement du livre. La seule chose qui m'intéresse, c'est de savoir si j'ai ou pas un écrivain devant moi.

Il y eut un silence. Benoît ne me regardait plus, il m'étudiait, et j'ai eu la sensation qu'il se posait cette question à mon sujet. Je me suis dit qu'il ne ressemblait à personne. Il était drôle. Il avait une parole libre, qui allait à l'essentiel ; on ne pouvait pas s'ennuyer avec un homme pareil. Et puis il disait ce qu'il pensait et jamais de bêtises, ce qui était excitant.

Nous avons parlé de Nice, du Mexique et de Belgrade dont il revenait tout juste. Je devais y aller en avril pour présenter mon film et, très simplement, il a dit qu'il m'y accompagnerait ; je n'ai pas pensé une seconde qu'il plaisantait. Ensuite, nous avons repris un verre, puis quelqu'un s'est mis au piano et à un moment, les têtes des gens autour n'ont plus été les mêmes, ça faisait peut-être trois ou quatre heures que nous étions ensemble. Le serveur est revenu nous voir. Il terminait son service, il voulait être payé. Benoît a attrapé l'addition, puis il s'est levé pour pouvoir glisser sa main dans la poche droite de son jean où il conservait son argent et, en guise de conclusion à tout ce qu'on venait d'échanger, a déclaré :

— Je vais faire ma prochaine chronique sur votre film.

À nouveau, je me suis sentie flattée, bien sûr, mais j'ai mis plusieurs secondes à lui répondre. Je n'avais pas d'autre choix que de lui dire *merci*, et merci était un mot que je n'aimais pas dire à un homme que je désirais. Mais je l'ai dit tout de même.

— Attendez, a-t-il répondu, je n'ai pas encore payé !

Il fouillait toujours l'intérieur de sa poche, ça avait l'air compliqué, tandis que je jouais depuis un moment avec un billet de vingt euros plié en quatre dans la poche de mon manteau. Je l'ai sorti et déposé sur la table.

— Ah, parfait, c'est juste ce qu'il faut, a commenté Benoît en l'attrapant.

Il l'a glissé avec l'addition entre son pouce et son index et a fait signe au serveur qui était reparti à l'autre bout de la salle de revenir vers nous.

Il était vraiment grand. Bien plus grand qu'Adam. Plus massif aussi et cela me plaisait, je me voyais volontiers marcher dans la rue à ses côtés. Je n'aimais pas beaucoup son cou, en revanche – trop épais, un cou qu'en d'autres temps on aurait eu du mal à guillotiner –, ni ses épaules tombantes qui trahissaient trop son âge. Il s'était rassis. Ses cuisses, tels deux segments de part et d'autre de notre petite table ronde, me faisaient penser à celles d'un rugbyman. Elles en avaient la taille, la puissance, et ses pieds étaient gigantesques, ses mains épaisses comme celles d'un homme des champs – toute cette force était complètement disproportionnée pour qui avait passé sa vie à nourrir essentiellement son esprit.

— Ma chronique, a-t-il encore dit, ou une critique dans les pages cinéma, qu'est-ce que vous préférez ?

J'ai pensé *les deux, mon capitaine* !, mais j'ai répondu :

– Ce que vous voulez. Tout me fera très plaisir.

– Ma chronique, c'est plus lu, a-t-il tranché.

Et puis :

– J'ai oublié de vous demander, vous êtes fâchée avec votre père, comme dans le film, ou vous le voyez ?

– Je ne l'ai pas vu pendant dix ans.

– Pourquoi ?

Pourquoi – bonne question. Mais comment y répondre en une phrase... Il n'y avait pas eu de vrais drames entre mon père et moi, pas de choses impardonnables non plus. Il s'agissait plutôt d'une tyrannie larvée, quotidienne, à laquelle je n'avais jamais pu me soumettre, seulement, résumée en quelques mots, elle me semblait toujours ridicule comparée à ce que j'avais ressenti, si bien que j'ai préféré dire à Benoît que je ne savais pas.

– Vous ne savez pas ?! s'est-il moqué. Ah, je comprends, vous êtes amnésique, comme moi ! Cette nouvelle me ravit. Nous ne souffrirons jamais de l'usure du temps, tous les deux. Notre histoire n'aura pas de fin. Chaque matin en se levant, nous aurons oublié que nous avons passé la veille ensemble et nous nous aimerons comme au premier jour, ce sera formidable.

J'ai rougi et l'ai prié d'arrêter de se moquer de moi, ce qu'il a fait en me souriant gentiment, puis il a dit et il était sérieux :

– En tout cas, moi, je préfère cent fois quand vous écrivez sur votre père plutôt que sur Ilan

Halimi. C'est nettement moins sordide. Et puis est-ce que cette affaire avait réellement un caractère antisémite...

Il avait prononcé la dernière partie de sa phrase en levant les sourcils en même temps que les épaules, l'air de dire *j'en doute*, et cela m'a serré le cœur. *Oh, non, pas lui !* ai-je pensé. J'avais passé tellement de temps à répéter pourquoi la dimension antisémite de cette affaire était avérée : persuadé que les juifs étaient riches et solidaires, le cerveau du gang des barbares s'était mis en tête d'en trouver un, et pour cela il avait chassé dans les boutiques du boulevard Voltaire qui affichaient une mezouza à l'entrée et qui étaient fermées le samedi, jour de shabbat. Ilan Halimi avait donc été ciblé en tant que juif, ce qui signifiait que n'importe quel juif, *mais un juif seulement*, aurait pu être à sa place – qu'est-ce qu'on voulait de plus ? Rien, seulement Benoît, malgré ma démonstration, restait dubitatif, et en dépit de cette petite voix intérieure qui m'enjoignait d'arrêter, de me taire, de changer de sujet tant j'avais peur de ce qu'il allait me dire, j'ai demandé :

– Mais vous pensez quoi ? Que c'était uniquement un crime crapuleux ?

– Et vous ? Vous pensez que tous les mômes impliqués dans cette affaire avaient réellement la haine des juifs ?

– Fofana l'avait.

– Ce n'est donc pas un crime antisémite, a dit Benoît. C'est le crime *d'un* antisémite, et ce n'est pas du tout la même chose.

Voulait-il dire par là que c'était moins grave ? Je me suis posé la question tandis que le serveur nous encaissait, puis Benoît a demandé une fiche et, comme si c'était lui qui m'invitait, je l'ai remercié pour ce verre. Nous avons ensuite quitté le bar du Lutetia.

*

Dehors, la lumière était blanche, aveuglante, et j'ai eu la sensation que si nous étions sortis d'une chambre plutôt que du bar, je ne me serais pas sentie moins curieuse. Ma vie venait de basculer dans autre chose, j'en avais la conscience aiguë, dans un ailleurs que je ne pouvais pas encore définir, mais qui déjà teintait le monde d'une couleur nouvelle. Rien n'avait changé, pourtant. Les immeubles, les voitures, la ville étaient tels que je les avais quittés en entrant dans ce bar d'hôtel, mais je ne les voyais plus du même angle, ni avec la même focale. Et cela tenait au fait que j'avais quitté le train à bord duquel je voyageais paisiblement depuis quinze ans. Par jeu, ennui, curiosité, que sais-je ? j'en étais descendue le temps de ce verre avec Benoît, mais ce train était reparti sans m'attendre et maintenant, je me trouvais sur le bord d'un quai en rase campagne, je ne savais pas quoi faire. Mais je n'avais pas de crainte particulière. Je me demandais juste ce qui allait bien pouvoir m'arriver. Tout, me semblait-il.

J'ai embrassé Benoît sur une joue, puis sur l'autre pour lui dire au revoir. Il a eu l'air décontenancé, et dans la tristesse qu'exprimait son regard, j'ai entrevu l'enfant qu'il avait été. C'était pourtant la tristesse d'un homme mûr. La mélancolie de quelqu'un qui avait suffisamment vécu pour savoir que malgré tous les livres qu'il pourrait encore écrire et toutes les femmes qu'il pourrait encore aimer, ce serait toujours seul qu'il devrait mourir. Alors peut-être est-ce pour se donner l'illusion du contraire, le temps au moins de cette fin d'après-midi de printemps, qu'il aura décidé de ne pas me quitter tout de suite.

– Vous allez dans quelle direction ? a-t-il dit.

– Je vais remonter la rue d'Assas.

– Ça vous embête si je marche un peu à vos côtés ?

J'ai dit *non, bien sûr, venez*, et nous avons laissé le grand hôtel derrière nous, mais très vite il m'a semblé qu'il marchait derrière et non à côté de moi, car pour croiser son regard alors que nous nous dirigions vers Port-Royal, il me fallait chaque fois me tourner de trois quarts, et ce geste me donna l'illusion, ô combien fausse, et dangereuse, que je pourrais emmener cet homme exactement où je voudrais. Je l'ai emmené ce jour-là jusqu'à la rue de Fleurus puis devant les grilles du Luxembourg et nous avons traversé le jardin (au moins sa première partie), au milieu des cris des enfants car nous étions en pleine période de vacances scolaires. J'ai alors jeté un bref et discret coup d'œil en direction des courts de tennis où Suzanne prenait des leçons chaque semaine, puis, un peu plus loin, aux poneys qu'elle et Léa avaient chevauchés tous les samedis de leur petite enfance et, subitement, pour la première fois, j'ai eu la sensation que cette vie-là avait mille ans. Dès lors, je n'ai plus été capable de me tenir ailleurs qu'à la droite de Benoît. Nous avions descendu les marches en pierre menant au Sénat, nous nous trouvions face au bassin où flottaient de jolis bateaux de bois et j'ai effectué un étrange demi-cercle autour de lui. Il m'a demandé ce que j'étais en train de faire. Je n'ai pas su quoi lui répondre, sinon que je préférais marcher de ce côté-ci, de sorte qu'il s'est mis à rire de cette lubie étonnante qu'il n'avait encore vue chez personne, comme il rirait chaque fois que ce jour-là, et tous les autres jours qui nous verraient marcher côte à côte, je veillerais à récupérer *ma place*. En réalité, c'était la place que j'occupais dans un lit, et c'était là où j'avais envie d'être avec lui, mais je n'osais jamais le lui dire.

Ce même jour, à la sortie du Luxembourg côté Saint-Michel, nous avons essayé une seconde fois de nous quitter. Nous nous sommes à nouveau embrassés, mais nous avons continué dans la même direction comme si nous étions incapables de prendre des chemins différents et, sans vraiment le vouloir, avons passé la porte d'une librairie, puis d'une boutique où Benoît s'est acheté des chaussettes – *tu te rends compte un peu, mon amour, où nous en sommes, à choisir mes chaussettes ?!* – et alors que la nuit tombait et que Charlotte, la jeune fille au pair qui s'occupait de Suzanne et Léa, devait déjà regarder sa montre en espérant que je ne serais pas trop en retard car elle m'avait prévenue, elle rejoignait ce soir-là des amis à l'autre bout de Paris, nos pas nous conduisirent dans un autre café de la place de l'Estrapade dont j'ai oublié le nom – mais quelle importance, puisqu'il deviendrait *not'café* ? J'ignore combien de temps nous y sommes restés. Je me souviens seulement des papillons que j'avais dans le ventre, du sourire que je sentais accroché à mes lèvres comme un tatouage permanent et du défilé aux tables voisines, des têtes et des consommations qui changeaient sans cesse quand nous, nous en étions toujours au même verre, mais peut-être en était-ce un autre, comment être sûre ? L'impression que j'avais du temps arrêté brouillait tellement les cartes… Je ne savais plus ni quelle heure, ni quel jour, ni quel mois nous étions, et cette perte de repères arrive si rarement dans une vie que je n'en avais moi-même plus aucun pour juger de la situation. Je savais seulement que cette rencontre serait un miracle ou un mirage et que, de toute façon, je ne déciderais de rien.

Les heures avaient filé à une allure folle. Il était trop tard pour ne pas s'en rendre compte. J'ai dit à Benoît que j'étais saoule. *C'est impossible*, a-t-il rétorqué, *tu n'as même pas terminé ton deuxième verre !* Il avait raison, mais un verre m'a toujours suffi à perdre le sens du réel, comment pouvait-il l'ignorer ? C'était si étrange, toutes ces choses que Benoît ignorait de moi... Je lui ai rappelé que je ne tenais pas l'alcool et il a dit *mais oui, bien sûr ! Pardon, c'est encore mon amnésie. Maintenant promis, Kim, je m'en souviendrai.* Benoît m'appellerait souvent Kim après cela, en référence à Basinger dans *Boire et Déboires* de Blake Edwards, laquelle tenait l'alcool aussi mal que moi et, de fait, entraînait le pauvre Bruce Willis dans une série de galères improbables. Un autre jour, dans ce même café, Benoît m'offrirait le DVD de ce film, et je le garderais longtemps dans le fond de mes sacs.

Nous étions maintenant les derniers. Un serveur ramassait les tables en terrasse, un autre empilait les chaises et tous deux nous regardaient de travers, se demandant sans doute quand nous allions enfin bouger. Nous nous sommes gentiment moqués de leur impatience. Nos visages s'étaient rapprochés, nos mains aussi, et dans le silence nu d'après la fête, nos voix toujours plus basses s'entremêlaient, s'étonnaient de ce café qui ne faisait ni restaurant ni chambre à louer, car où pourrions-nous bien aller une fois qu'il aurait fermé ?

– On ferme ! a crié un des serveurs, et nous nous sommes retrouvés sur le trottoir.

Dans la rue des Fossés-Saint-Jacques, Benoît s'est de nouveau mis à marcher derrière moi. Je ne savais pas où j'allais, où *nous* allions ainsi l'un derrière l'autre, mais très vite, il m'a attrapé la main pour me tirer jusqu'à lui et je me suis retrouvée tout contre son torse. Mon sang a cessé de circuler. J'étais raide, tendue tel un arc, et mon cœur battait à tout rompre – seul un baiser aurait pu le calmer. Je l'attendais. Les lèvres de Benoît n'étaient pas si loin. Elles se baladaient sur ma joue comme le long d'un sentier, je pouvais sentir son haleine, ce goût sucré du vin blanc qui me donnait envie de connaître sa langue, mais avec lui tout me semblait un monde, jamais je n'aurais été capable d'une telle audace. Ses lèvres naviguaient maintenant près de mon oreille et lui disaient tout bas *j'aime bien votre parfum, votre peau est douce, c'est dommage qu'il se soit remis à faire froid, j'aurais adoré voir vos seins*, et ces mots que recevait mon pavillon puis qui coulaient en moi par ce si petit orifice me procuraient un désir fou, complètement disproportionné. Mais Benoît n'entendait pas le satisfaire : il s'était subitement écarté. Il s'était même remis à marcher, et je le regardais

s'éloigner en pensant *mais qu'est-ce que tu fais ?*
Qu'est-ce qui s'est passé ?

J'ai attendu encore quelques secondes, interdite,
persuadée qu'il s'agissait là d'un jeu et qu'il allait
faire demi-tour, mais non, il continuait d'avancer,
il s'enfonçait toujours un peu plus dans l'obscurité
et vite, vite, je me suis dépêchée de le rattraper.
Il atteignait déjà la rue d'Ulm. Un immeuble de
facture haussmannienne faisait l'angle, et je ne sais
pas bien comment, à un moment donné je me suis
retrouvée dans l'encadrement de la porte d'entrée
– Benoît m'y avait logée. Avec son doigt, il a des-
siné le contour de mes lèvres, puis il est descendu
le long d'une ligne imaginaire qui passait par mon
menton, ma gorge, mon décolleté. Je portais ce
jour-là un chemisier blanc dont les deux premiers
boutons étaient ouverts, ça faisait comme un V à
l'orée de ma poitrine et son doigt, sans jamais me
toucher, s'y est enfoncé. J'ai fermé les yeux. Sa
main s'est ouverte au-dessus du tissu pour épou-
ser, en lévitation, la forme de mon sein, *tout doucement*. C'était d'une délicatesse inouïe. On aurait
dit une fleur en train d'éclore. Mais la fleur s'est
refermée aussitôt, est redevenue poing, j'ai senti
alors une pression au creux de mon ventre et sur
ma tempe, ses lèvres qui avaient recommencé leur
ronde. Elles ont murmuré une phrase que je n'ai
pas entendue. Une phrase qui m'a hantée longtemps, comme la pièce manquante d'un puzzle,

puis je crois qu'ensuite sa langue m'a effleuré le lobe. *Je crois*, tout est allé si vite, mais j'ai pu très bien aussi revisiter ce moment à la lumière de ceux qui ont suivi, et inventer de toutes pièces cette sensation reptilienne juste pour dater ce jour, pour l'inscrire dans ma tête comme celui où Benoît m'aura inoculé son venin, quelque chose en tout cas pour que tout se dérègle dans ma vie et que je brise petit à petit l'ensemble des fondements d'une structure qui m'avait jusque-là paru inébranlable. En vérité, il n'aura été qu'un détonateur. La bombe était posée depuis longtemps, bien sûr, et elle n'attendait plus qu'on l'actionne pour tout faire exploser – la proximité si pudique de nos corps aura suffi.

C'est une chose difficile à expliquer, et j'imagine compliquée à comprendre, mais je ne peux pas le dire autrement : à la seconde où Benoît m'a effleurée, j'ai cessé d'être moi ; d'être celle que j'avais été jusque-là, et ce fut d'une telle violence que j'aurais pu lui arracher ses vêtements et lui faire l'amour sur-le-champ, dans la rue, devant tout le monde – de toute façon, il n'y avait personne ! –, tant l'ouragan qui déferlait à l'intérieur était impossible à contenir. Il emportait tout sur son passage. Mon mariage, mes enfants, ma vie depuis quinze ans, et je voyais cela valdinguer au-dedans de moi comme les meubles dans un mobile home au passage de Katrina – il n'y avait rien à faire, sinon m'agripper à lui pour tenter de sauver ma peau. Mais même cela, j'en étais incapable. Et je restais là, plantée devant lui, offerte, immobile, droite comme un *i*, disposée seulement à recevoir ce qu'il voudrait bien me faire et me donner.

Nous avons tout de même réussi à quitter ce porche. La rue des Fossés-Saint-Jacques était déserte, pavée comme l'est le reste du vieux cinquième, et nos pas résonnaient avec intensité, on se serait cru dans un décor de cinéma, peut-être des perches, juste au-dessus de nos têtes, prenaient-elles le son... Nous marchions loin l'un de l'autre. Après avoir été si près, c'était un peu étrange, mais Benoît avait le premier glissé ses mains dans les poches de son trois-quarts si bien que par réflexe, j'avais croisé les miennes sur ma poitrine, et maintenant nous avions tellement l'air de gens qui ne voulaient rien avoir à faire ensemble que je me demandais si je n'avais pas rêvé, si sous ce porche nous avions bien été – été *quoi*, d'ailleurs ? Qu'est-ce que Benoît m'avait fait ? Est-ce qu'il m'avait embrassée ? Non. Peut-être. Je ne savais plus. Je me suis posé la question jusqu'à Mouffetard, et puis l'agitation m'a tirée de mes pensées. C'était une rue piétonne qui ressemblait à l'allée d'une fête foraine, avec des lumières et des gens partout, des gens qui parlaient toutes les langues sauf le français de sorte que, très vite, j'ai eu l'impression de ne plus être à Paris, et je me suis sentie libre comme on ne peut l'être qu'à l'étranger, sans histoire, sans repères, sans passé – Benoît aurait pu m'emmener où il voulait. Il a voulu dîner et nous nous sommes retrouvés chez Mavrommatis.

Par chance, ce restaurant grec juste derrière la paroisse Saint-Médard était encore ouvert. Le serveur nous a installés à une petite table près de l'entrée, et il a aussitôt pris commande. J'ai laissé Benoît décider pour moi, je ne connaissais rien à cette cuisine. Il a choisi en entrée deux assortiments de mézédès, il ne voulait pas que je pique dans son assiette. Sa deuxième femme l'avait eu comme ça, il ne se ferait plus avoir. Je me souviens du mot *mézédès* car il me l'a fait répéter, mon accent n'allait pas, et en plat, il a pris de l'agneau grillé, ou peut-être un agneau pour moi et du cochon pour lui, je ne lui avais pas dit que je ne mangeais pas de porc mais il le savait, c'était une chose qui pour lui semblait aller de soi, enfin peu importe, agneau ou cochon, de toute façon, je n'ai jamais pu voir à quoi ces plats ressemblaient car il y a eu une première coupure d'électricité, puis une autre, et une autre encore, et finalement nous avons terminé notre dîner dans le noir – la lumière était dans le même état que moi, elle avait complètement disjoncté.

Ce n'est que beaucoup plus tard, en quittant cette obscurité, que j'ai enfin recouvré mes esprits.

Minuit avait sonné depuis longtemps, nous étions maintenant le jour d'après.

– Quel jour ? j'ai demandé à Benoît.

– Samedi, m'a-t-il dit, et paniquée, j'ai réalisé que j'avais oublié le dîner de shabbat que nous passions tous les vendredis soir en famille.

J'avais oublié aussi de faire nos valises alors que nous partions le lendemain matin à l'aube aux sports d'hiver. J'ai consulté mon portable qui indiquait sept nouveaux messages. Je n'ai osé en écouter aucun. J'ai regardé Benoît horrifiée, espérant trouver dans ses yeux un début de solution, mais ce n'était plus tout à fait lui que je voyais. Entre nous flottait désormais ma table des soirs de fête et, sur la nappe brodée, les visages endormis d'Adam, Suzanne et Léa, épuisés de m'avoir trop attendue pour entonner la prière du kiddouche.

Adam et les filles s'étaient en effet endormis, mais chacun dans son lit. Je me suis d'abord rendue dans la chambre de Suzanne, où la lumière était encore allumée. Ses lunettes avaient glissé sur sa joue et je suis restée un moment au seuil de sa porte, à l'observer. C'était toujours un petit choc de la retrouver tant elle avait changé ces derniers temps. Ses cheveux s'étaient mis à mousser d'un seul coup, comme sous l'effet d'une pluie d'été, sa peau avait perdu sa texture de bébé et ses seins étaient désormais plus gros que les miens, mais elle n'avait toujours pas ses règles ; du moins, je l'imaginais puisqu'elle ne m'en avait jamais parlé. Suzanne était arrivée à cet âge où les filles ne parlent plus à leur mère, où elles ne voient en elle que la façon dont elles vieilliront et Suzanne, je la comprenais, n'avait pas envie d'affronter cela. Moi, au contraire, je n'aimais rien tant que d'observer chaque nuit comment son sommeil, par miracle, la rendait à son enfance. Ce spectacle m'apportait une joie infinie. Je pouvais enfin la regarder sans qu'elle ne m'aboie dessus. Je pouvais la renifler, l'embrasser, caresser ses cheveux, faire tout ce que je faisais avec elle lorsqu'elle était encore une petite fille et qu'elle m'appartenait, mais ce soir-là, la trouver endormie avec ses lunettes de travers n'aura été qu'une souffrance de plus. Je ne me suis pas assise sur son lit. Je n'ai pas posé ma main sur son visage, ni mes lèvres sur son front. Je suis restée en retrait, dans l'encadrement de la porte, et j'ai pensé oui, Suzanne est encore une enfant, et oui, Suzanne a encore besoin de sa mère pour lui ôter ses lunettes comme pour éteindre sa lampe de chevet, mais la femme que je suis est une mauvaise mère, elle a passé la soirée avec un inconnu et elle a oublié sa fille.

Après cela, je suis passée rapidement dans la chambre de sa petite sœur. Léa dormait aussi, sous un ciel si plein d'étoiles qu'on se serait cru flottant au beau milieu de la Voie lactée. Ma plus jeune fille était passionnée d'astronomie, elle nous prédisait souvent la mort du système solaire mais elle ne doutait pas de découvrir une autre galaxie avant *le grand soir*. J'aurais voulu avoir sa force, ne craindre la fin de rien. Je lui ai baisé le front pour trouver celle au moins d'affronter Adam et j'ai rejoint notre chambre.

Adam était lui aussi au lit, les yeux clos, devant la télé encore allumée. Il portait ses vêtements de la veille, un pantalon de costume sombre ainsi qu'une chemise blanche, froissée, qui lui remontait au-dessus du nombril. Il avait pris du ventre ces derniers temps. Il ne faisait plus de vélo, avait cessé de surveiller son cholestérol, et je me suis dit qu'il m'aimait peut-être moins, qu'il n'avait plus le souci de me plaire. Ou bien c'était devenu un exercice trop fatigant. Les horaires de l'hôpital l'épuisaient déjà tellement... Ça ne se voyait pas à son visage, il ne marquait pas beaucoup, mais à sa respiration. Elle était très irrégulière, calme et sereine puis tout à coup entrecoupée d'un ronflement terrible, comme à chaque fois qu'il n'était pas de garde. Il récupérait de ses nuits blanches précédentes et je savais que rien, ces soirs-là, ne pouvait le réveiller, pas même mon absence. Demain, dans le taxi qui nous emmènerait à la gare, il me demanderait simplement ce qui s'était passé la veille. Je raconterais alors qu'au Forum des images la projection d'*Un vrai salaud* avait été suivie d'un débat, qu'ensuite, je n'avais pas pu refuser d'aller boire un verre avec les organisateurs de la soirée et que la batterie de mon téléphone ayant rendu l'âme, je n'avais pas été en mesure de le prévenir. Il froncerait peut-être légèrement les sourcils. Il répéterait, étonné, *ah bon, une projection de ton film au Forum des images, mais tu ne me l'avais pas dit,* ce à quoi je rétorquerais *si, seulement, tu ne m'écoutes pas* et la conversation serait close, plus jamais nous ne reparlerions de cette soirée. Parler était pourtant la dernière chose qu'il nous restait, et j'aurais voulu entendre Adam, l'entendre même hurler plutôt que de le trouver là, à demi mort, et n'avoir rien d'autre à faire que nos valises. Je n'avais plus envie de partir au ski. Plus aucune envie d'être là. Pire, j'éprouvais le même sentiment d'asphyxie que jadis chez mon père quand, après la mort de ma mère, il me fallait quitter la pension pour retourner vivre chez lui le temps des vacances et que je me sentais prisonnière. J'avais pourtant cru, en atteignant l'âge adulte, que tout cela ne serait que de vieux souvenirs. Oui, je m'étais naïvement imaginé, en m'installant avec Adam, que ma liberté serait éternelle, que plus jamais personne ne pourrait y attenter, que je serais toujours là où j'aurais envie d'être. Et cette conviction ne s'était pas altérée avec les années, parce que personne ne m'avait imposé notre quotidien. Cela avait été une volonté de chaque instant de me coucher le soir avec Adam et de me réveiller le matin sous le même toit, mais cette volonté, fût-elle impérieuse, n'était pas *liberté*, je m'en rendais compte maintenant, après quinze ans de mariage. Il n'y avait de liberté que seul, évidemment. À deux, c'était impossible. À deux, la liberté n'était qu'une servitude volontaire, et elle ne survivait pas à l'amour. Car sans amour, le foyer qu'on s'était choisi ne valait pas mieux que le foyer dans lequel on était né, il devenait une geôle aux mêmes murs gris et étroits. Il fallait donc encore en changer. Mais quitter sa femme ou son mari n'était jamais, au contraire du nid parental, un acte *naturel*. C'était le constat d'un échec qui impliquait un grand chantier de démolition, la garde partagée des enfants, la fin du bail, la vente de l'appartement, la répartition de tout ce qu'on avait aimé, choisi, fait et acheté ensemble, et à la fin il ne restait rien, rien d'autre que de la tristesse ou de l'amertume et des photos racornies dans un vieil album qu'on n'ouvrirait jamais plus. Mais cela ne nous empêchait pas de recommencer ! Eh oui, au lieu d'être sage et de rester seul, *d'avoir enfin compris la leçon*, eh bien non, nous recomposions des familles, mais cette fois avec des ex-femmes qui ressemblaient à des sorcières – c'était plus drôle –, des beaux-enfants qui ne nous aimaient pas, des amis qui attendaient de voir, et tout cela nous semblait merveilleux parce que neuf et plein d'amour, seulement partout l'amour passait et s'abîmait, de sorte que nous ne faisions que remplacer une prison par une autre, avec cette peine plus lourde encore de devoir se séparer non plus de ses parents, mais de ses enfants – oui, c'était à ce prix-là qu'en vieillissant, la liberté se payait, et ce prix m'avait toujours semblé exorbitant.

Plantée devant Adam qui dormait la bouche ouverte, je me suis tout de même imaginé un instant vivre sans mes filles. Être une femme *divorcée*. C'était la première fois depuis que j'étais mère qu'une telle idée me traversait l'esprit, et elle ne me parut pas impossible. Je n'avais tellement plus envie d'être là… J'ai attrapé mon portable et j'ai écrit un message à Benoît pour le lui dire. Je pouvais tout écrire à cet homme de toute façon puisque je n'allais plus jamais le revoir. Et cela aussi, je le lui ai dit, sans doute parce qu'il était encore temps de faire marche arrière et qu'inconsciemment, j'espérais qu'il exaucerait ma prière. Mais Benoît n'écoutait jamais que son seul désir, je m'en rendrais compte rapidement, et son désir ce soir-là était de me revoir souvent et très longtemps. Oui, *on se reverra souvent et très longtemps*, m'a-t-il répondu en retour. *Bonne nuit, mon amour flou.*

La mort dans l'âme, je suis donc partie le lendemain matin en famille pour une semaine aux sports d'hiver, mais curieusement cette semaine-là au Grand-Bornand restera comme la plus belle de ma non-histoire avec Benoît, car jamais nous ne serons si proches, lui et moi, qu'à cette distance l'un de l'autre. Chaque jour, il m'adressait un premier message au réveil. J'étais généralement déjà assise à la table du petit-déjeuner, en face d'Adam et à côté de nos filles qui nous harcelaient de questions tant elles étaient excitées à l'idée de partir skier, mais je trouvais toujours le moyen de lui répondre sans attendre. J'allais au buffet, aux toilettes, je remontais chercher quelque chose dans la chambre. Parfois, je restais même assise à table. Je lui écrivais devant Adam et les filles, et si l'un d'eux me demandait ce que j'étais en train de faire, je rétorquais, très calme, que je répondais à des courriels professionnels. *Un vrai salaud* venait de sortir en salles, la promotion à l'international allait débuter, il était normal qu'on cherche à me joindre. Et de toute façon, Adam devait l'être si souvent et depuis si longtemps avec les urgences à l'hôpital que jamais il ne se serait permis de me faire le moindre reproche à ce sujet. Mais Suzanne s'en chargeait pour lui. Nous lui avions refusé un portable à Noël dans l'espoir de retarder d'une année sa fatale addiction, si bien qu'elle prenait un plaisir infini à me renvoyer au visage mes propres arguments. Dès qu'elle me voyait pianoter, elle disait que ça ne se faisait *vraiment* pas, que nous étions à table et que la table était faite pour partager – *par-ta-ger*, répétait-elle en insistant sur chaque syllabe pour bien souligner le mot que j'utilisais moi-même quand, durant les repas, elle dérobait le smartphone de son père, et elle parlait si fort qu'à la fin, toute la salle du restaurant se retournait pour me fusiller du regard. Elle était soudain la mère et moi la fille ; elle allait jusqu'à m'ordonner de lâcher tout de suite ce maudit téléphone, menaçant si je résistais de quitter la table sur-le-champ, mais je résistais, sourde à sa souffrance, infoutue de voir qu'elle avait tout compris, bien sûr, pour d'une voix atrocement légère et détachée, lui rétorquer :

– Non, mais enfin, Suzanne, tu crois vraiment que je m'amuse ?

Alors Suzanne quittait la table comme elle s'y était engagée, et débutait avec Benoît le fil d'une conversation qui se poursuivait jusque tard dans la nuit, et même bien au-delà car au fond, tant que durerait ce séjour, rien ne viendrait l'interrompre, pas même nos sommeils qui ne feraient que marquer de courtes pauses dans nos échanges, si bien que les messages du matin répondraient à ceux de la veille, et ceux de la veille à ceux du matin précédent. Mais ce n'était pas si simple d'avoir la tête en tête-à-tête et le corps en famille. C'était même épuisant ! Cela réclamait une inventivité folle car, à moins d'être cokée, on ne pouvait pas aller quatre fois dans la même heure aux toilettes, ni, si l'on ne souffrait pas d'Alzheimer, avoir oublié dans sa chambre et sa crème, et ses gants, et ses lunettes et son argent. Or, dès que je sentais mon portable vibrer dans la poche arrière de mon jean, il me fallait pouvoir l'attraper dans l'instant : lire le nouveau message de Benoît m'apparaissait comme une nécessité impérieuse, et rien n'était plus important que cette nécessité-là. Pour me simplifier la vie, j'avais donc décidé de ne pas skier. Je n'avais jamais aimé cela, de toute façon. La montagne me donnait le vertige, tout ce blanc des angoisses atroces, je ne supportais pas les chaussures de ski, et les skis encore moins qu'il fallait sans cesse chausser et déchausser, et puis le froid, les bosses, les collants, les sous-pulls, les files d'attente aux remontées mécaniques – *non mais laissez-moi tranquille !* Je n'avais persévéré dans ce sport que pour faire plaisir à Adam, seulement mon plaisir venait de doubler le sien, il était même passé loin devant, j'y avais donc renoncé sans regret. Comment aurais-je pu skier, de toute façon ? Attendre la fin de la piste pour consulter mon portable que je sentais vibrer toutes les cinq minutes contre ma fesse, ou bien alors m'arrêter au beau milieu des creux et devoir ôter mes gants pour taper ma réponse par moins quinze degrés m'était une torture physique insupportable, et je n'imaginais pas une seconde rompre, même une heure ou deux, le fil de notre conversation. Ne pas skier était aussi le seul moyen que j'avais trouvé pour préserver Adam. Je savais, bien sûr, qu'il serait peiné de ne pas me voir de la journée, mais cette peine me semblait bien moindre comparée à celle qu'il risquait d'éprouver s'il se rendait compte qu'un autre l'avait remplacé. Car je ne pouvais pas le dire autrement, oui Benoît avait pris la place d'Adam. C'était à lui en tout cas que je me confiais désormais, que je parlais de mes projets, de mes inquiétudes, des critiques de mon film qui disaient toutes combien il était une déclaration d'amour au père, et de l'étrangeté dans laquelle je flottais depuis la sortie, comme si le chemin que je m'étais tracé depuis l'adolescence avait perdu sa claire évidence, et ne m'apparaissait plus que comme une voie possible parmi tant d'autres. J'avouais aussi à Benoît mon incapacité à travailler, laquelle m'angoissait beaucoup. Depuis qu'*Un vrai salaud* était sorti sur les écrans, je n'avais pas écrit une seule ligne. Je pouvais passer des journées entières devant mon écran, rien ne venait plus. Entre le roman et le film, cela faisait près de cinq ans que je me trimballais cette histoire, et je ne parvenais pas à en concevoir de nouvelle. Aucun personnage ne se dessinait à mon esprit, aucun sujet ne me semblait digne d'y consacrer deux ou trois ans de ma vie – on aurait dit que ce travail sur mon père avait entièrement épuisé mon capital de création.

– Mais pourquoi tu t'embêtes, me disait Benoît, remets-toi à écrire sur les antisémites ! Tu t'es déjà fait Fofana, tape-toi Merah maintenant. Ou Coulibaly. Avec un peu de chance, tu arriveras à céder tes droits pour le cinéma.

J'avais eu du mal à rire, mais je me souviens que je m'étais forcée tout de même, de peur qu'il s'imagine que je n'avais pas d'humour. Il avait dit alors :

– Ah non, non, attends, j'ai une meilleure idée ! Une idée bien plus forte. Écris sur moi.

– Pardon ?

– Quoi ? Tu sais bien que je suis antisémite ! Et puis, il restera au moins ça. C'est la seule chose qui reste. Écris, je te dis.

Oui, je le savais, mais il était bien la dernière personne au monde sur qui j'aurais pu mettre des mots. L'écriture n'était pas chez moi une façon d'aimer les gens, c'était un moyen de m'en libérer. J'écrivais dans la rage, la colère, la douleur – j'écrivais *contre*. J'écrivais comme d'autres crient, pour sauver ma peau, pour en finir avec ce qui me pourrissait la vie, et Benoît avait réveillé la mienne, pourquoi aurais-je écrit sur lui ? Non, c'était impossible. Je pouvais seulement *lui* écrire. Ah ça oui, je pouvais ! Je n'étais même plus capable que de ça, pauvre sotte, lui écrire des messages du matin au soir et lire ceux qu'il m'écrivait en retour.

Le reste du temps, j'étais une prisonnière. Je comptais les heures qui me séparaient de lui, et chaque jour de passé était un jour de gagné. Je me sentais bouillir d'impatience. Je ne pensais qu'à ça, qu'à lui, c'était complètement obsessionnel, et ça me faisait peur, je me disais non mais comment est-ce possible, comment peux-tu être habitée à ce point par un homme que tu ne connaissais même pas la semaine dernière, mais le fait de ne pas pouvoir répondre à cette question rendait les choses un peu plus miraculeuses encore. Mon seul souci était le sentiment que j'avais, très désagréable, d'être un livre ouvert. Il me semblait que tout se lisait sur mon visage, que les gens n'avaient qu'à me regarder pour *savoir*. C'était donc un vrai soulagement quand vers neuf heures et demie du matin, Adam et les filles partaient skier et que l'hôtel commençait à se vider de toutes ses familles. Je pouvais alors commander un café, m'installer au soleil sur la terrasse, et face à la chaîne des Aravis, textoter mais surtout parler avec Benoît sans me cacher – *le bonheur absolu*. Nous parlions pendant des heures, parfois la matinée entière. Il travaillait à son prochain roman et chaque jour, il me lisait ce qu'il avait écrit la veille. Je trouvais ça souvent drôle, percutant, j'enviais cette économie de mots avec laquelle il réussissait à traduire sa pensée, mais ce qui me plaisait surtout, c'était d'être sa première lectrice. J'aimais aussi sa voix de grand timide, pleine de rires gênés, qui ondulait à la moindre émotion. C'était une voix qui n'était pas celle d'un homme de soixante ans, et qui me révélait une personnalité bien plus fragile que je l'avais imaginée, moins sûre d'elle, aux antipodes de l'homme qui m'écrivait. Celui-là n'hésitait jamais, faisait des phrases courtes et cherchait toujours le mot juste. Ses mots m'excitaient tellement... Ils étaient comme l'air qu'on souffle sur la braise, ils allumaient tous mes sens, ils me prenaient dans leurs bras invisibles, ils parcouraient chaque parcelle de mon corps frissonnant et parfois même, le faisaient jouir à distance. Oui, ses mots avaient ce pouvoir immense, et celui aussi, bien plus grave, de me blesser. Peut-être parce que Benoît avait trop l'habitude d'en user comme d'une arme dans ses textes, et qu'il ne se rendait plus compte. Ou bien alors je n'avais déjà plus aucun humour avec lui, ce qui est le drame commun à toutes les filles quand elles tombent amoureuses, et les textos, qui ne témoignaient ni des silences ni des sourires, n'étaient pas là pour m'aider. Benoît avait pris le parti de se moquer gentiment. Il disait *soupe au lait / princesse askhé / ne t'inquiète pas, ça ira beaucoup mieux quand je t'aurai sautée*, et il m'envoyait des photos d'un couple en train de s'embrasser, des images de notre futur lit dans l'appartement qui lui servait de bureau ou bien encore le portrait d'actrices et d'effigies d'un autre temps, mais qui selon lui me ressemblaient beaucoup. Annabel Buffet revenait souvent. Sans doute parce que, comme moi, elle était juive, artiste, mère de plusieurs enfants et que nous nous étions toutes les deux mariées à Ramatuelle avec des hommes qui nous aimaient. J'espérais juste ne pas finir comme elle – folle, alcoolique et seule – mais c'était peut-être le message que Benoît tentait de me faire passer, *tu finiras exactement comme ça, Émilie, comme a fini ta mère aussi*, ma pauvre mère écrasée sur les Champs-Élysées par un fou dangereux un soir qu'elle sortait, après une dispute avec mon père, de son magasin – *et je suis là pour ça*. Lorsqu'il m'adressait ces portraits de femmes, Benoît prenait toujours soin de me répéter que je ne pouvais pas les connaître. Il disait qu'elles avaient été au faîte de leur gloire bien avant ma naissance, comme si avant celle-ci, tout m'avait échappé, et c'était alors à mon tour de me moquer – je le voyais tel Woody Allen dans *Manhattan*, pétri d'angoisse à l'idée de sortir avec une fille ayant plus de vingt ans de moins que lui, mais pas au point non plus de renoncer à ses charmes.

Le midi, l'hôtel se remplissait à nouveau et je le fuyais. J'allais déjeuner seule dans le centre du vieux village, non loin du clocher à bulbe d'une église qui ressemblait à un monument russe. C'était généralement à ce moment-là qu'Adam m'appelait pour me demander si je ne m'ennuyais pas trop. Lui déjeunait aussi, dans un restaurant d'alpage avec un couple de Suisses qui l'avait adopté le premier soir à l'hôtel, et j'étais heureuse de savoir qu'on s'occupait bien de lui, comme je l'étais pour Suzanne et Léa qui, à l'école de ski, avaient retrouvé leurs camarades de l'année précédente. Je ne lui demandais qu'une chose : profiter, et ne surtout pas s'inquiéter pour moi. Moi, il me restait encore trois longues heures à être seule, et c'était tout ce que je voulais. Aussitôt après avoir raccroché, je gagnais le départ des sentiers de randonnée. Je m'enfonçais alors dans le silence des forêts de sapins, là où avec Benoît, nous pouvions nous dire en toute liberté combien il nous tardait de nous revoir, et j'étais la femme la plus heureuse du monde. En fin d'après-midi, je regagnais l'hôtel le cœur gonflé de joie. J'avais à nouveau dix-huit ans, les joues rouges, les yeux brillants et, à mes lèvres, un sourire permanent. Et ce n'était plus du tout un chagrin que de me consacrer quelques heures à mon mari et à mes filles. Au contraire, je me sentais tellement remplie d'amour que je pouvais leur en donner autant qu'ils en voulaient. Oui, je pouvais enfin être pleinement avec eux, écouter leurs chutes comme leurs exploits, panser les petites plaies qu'ils s'étaient faites. Je pouvais rire, boire, manger, sourire puisque la voix de Benoît était encore dans mon oreille, et le plus extraordinaire dans tout cela, c'est qu'Adam ne se doutait de rien. Mais alors de rien du tout ! Comment, le pauvre, aurait-il pu se douter de quoi que ce soit ? Une femme heureuse se sent si peu coupable.

Adam s'est douté quand il a vu l'article. On venait tout juste de rentrer à Paris, nos valises n'étaient même pas défaites qu'il m'a demandé :

– Tu le connais, Benoît Parent ?

J'ai eu l'impression que mon cœur allait s'arrêter.

– Pourquoi ? j'ai dit.

– Je te demande, réponds.

– Non, je ne le connais pas.

– Vous ne vous êtes jamais rencontrés ?

– Non...

– Pas même croisés dans un cocktail ou un festival ?

– Non, pourquoi ?

– Parce que lui, il a l'air de très bien te connaître.

Adam a alors sorti de sa poche le journal roulé en longue-vue dans lequel Benoît signait un édito chaque semaine, et il s'est mis à lire :

Le problème des femmes, c'est leur mari. Sur-
tout quand elles cherchent un père. Parce que le
mari est vieux. Et qui dit vieux dit riche, donc
compliqué à quitter.

– Voilà comment l'article sur ton film commence, ça m'a fait très plaisir de tomber dessus. Et plus plaisir encore de recevoir des textos
de gens que ç'a beaucoup amusés, cette histoire
de « vieux riche », mais tu pourras dire de ma part
à ce connard qu'il est mal renseigné, que c'est toi
la riche, toi l'héritière, pas moi !

– Arrête, je ne le connais pas, je te dis. Je n'ai
même pas lu cet article...

– Mais tu savais qu'il l'avait écrit !

– Je savais par mon attachée de presse qu'il y
aurait peut-être un papier dans ce journal, pas que
ce serait lui qui le signerait.

Adam n'a plus rien ajouté pendant quelques
secondes mais il ne m'a pas lâchée des yeux,
comme s'il cherchait dans mon regard la meilleure
attitude à avoir, la plus constructive, et finalement,
d'une voix extrêmement posée, il m'a dit :

– Je connaissais très bien sa femme, tu sais, à
l'époque elle sortait avec l'un de mes amis. C'était
une fille épatante. Belle, intelligente, cultivée,
joyeuse, qui avait tout pour réussir. Lui, il lui
tournait autour depuis des années mais elle s'en
fichait, elle ne le calculait pas, et puis un jour elle a
voulu avoir un enfant et mon ami ne se sentait pas
prêt, il était en pleine ascension professionnelle, si

bien qu'elle a cédé à ses avances. Ils ont eu un garçon, je crois. Quand l'enfant est né, il les a installés en haut d'une tour, mais il n'a jamais voulu vivre avec eux. Jamais. Il voyageait tout le temps, il avait des maîtresses, il écrivait ses livres, et elle, elle était toujours toute seule ; il ne l'aidait même pas financièrement. Quand le petit a eu un ou deux ans, elle est retournée voir mon ami pour se remettre avec lui, mais c'était trop tard, il ne voulait plus. Ce type lui a gâché sa vie. Je l'ai revue l'année dernière à la Fiac. Cette fille si rayonnante... on aurait dit une fleur fanée, ça m'a fait beaucoup de peine.

   – Pourquoi tu me racontes tout ça, Adam ?

   – Pour rien. Pour que tu saches.

Dans cet article que j'ai soigneusement découpé puis conservé dans la partie de mon portefeuille où je garde les deux photomatons de mes filles, Benoît disait que mon film ressemblait à un roman russe et que j'avais un naturel aussi obstiné que mon personnage principal, la tendresse en plus. C'était un papier élogieux, sans doute le plus élogieux que j'avais jamais eu jusque-là, et le plaisir que j'en tirais me fit oublier qu'il ne devait rien à mon talent, évidemment, mais tout à la relation que j'entretenais avec cet homme. Or, comme s'il avait été un critique lambda, en me dirigeant le lendemain vers *not'café* de la place de l'Estrapade où nous avions prévu de nous retrouver, je décidai de commencer par l'en remercier. Mais le remercier de quoi ? De me séduire ? De mettre des doutes dans la tête de mon mari ? D'utiliser son petit pouvoir ? Je voulais tout de même lui toucher deux mots de ce qui s'était passé la veille avec

Adam. Oui, je voulais qu'il sache ce qu'Adam pensait de lui. Sans doute parce qu'au fond, j'espérais qu'il démentirait ses propos, seulement à peine me suis-je installée à la table où nous étions assis la fois précédente qu'il m'a dit :

— Bon, alors, quand est-ce que tu vas quitter ton mari ?

J'ai ri, je pensais qu'il plaisantait.

— Tu sais qu'il faut que tu le quittes ? a-t-il ajouté.

Il parlait avec l'assurance d'une cartomancienne et ça m'a fait le même effet que s'il m'avait annoncé que j'allais bientôt mourir. C'était difficile de ne pas le croire, si bien qu'au lieu de l'envoyer se faire voir, comme une idiote, j'ai demandé :

— Pourquoi ?

— Pourquoi quoi ?

— Pourquoi il faut que je quitte Adam ?

— Mais pour être libre de se voir quand on veut, bien sûr !

Bien sûr. On se connaissait depuis dix jours à peine, on n'avait même pas encore couché ensemble et j'avais deux jeunes enfants – se foutait-il de moi ?! Benoît n'avait pas le droit de jouer à ce jeu-là. Il fallait lui dire tout de suite, sans attendre, après les règles entre nous seraient les siennes et ce ne serait plus possible d'en changer, je le savais bien, mais au moment de prendre la parole, je ne m'en suis senti ni le courage ni l'autorisation car au fond, il ne tenait qu'à moi de ne pas jouer. Personne ne m'avait obligée à venir dans ce café, et personne ne m'y retenait. Je n'ai donc rien dit et Benoît, jouant tranquillement avec la longue cuillère de son Perrier, a continué de me regarder le fond de l'âme en se demandant combien de temps encore cela lui prendrait de m'avoir toute à lui.

– Alors, a-t-il insisté, réponds. Tu vas le quitter quand ? Demain ? Ce week-end ? Je te déconseille le dimanche soir, en tout cas. C'est un jour propice à la déprime, tu risques d'y passer la nuit.

J'ai gloussé comme une pauvre cruche et je me suis sentie minable – ce que j'étais.

– Pourquoi ris-tu ? a encore dit Benoît. Tu sais bien que nous allons vivre une grande histoire d'amour et que tu vas foutre ta famille en l'air.

Foutre ma famille en l'air. Est-ce que j'ai mesuré, sur le moment, ce que cela signifiait ? Non, évidemment, sinon j'aurais pris mes jambes à mon cou et je serais partie en courant, c'était la seule chose à faire, mais tout de même, cette phrase a eu un certain impact, celui d'une petite balle de plomb logée au creux de mon ventre, et quand je l'ai eu encaissée, j'ai dit :

– Et toi ? On peut savoir quand tu comptes quitter ta femme ?

– Quitter ma femme…, a répété Benoît d'un air songeur. J'ai essayé déjà, plusieurs fois, mais tu sais, rien n'est plus difficile que de quitter quelqu'un avec qui on n'est plus.

C'était la phrase la plus triste qu'il m'ait jamais été donné d'entendre, et quelle que soit l'issue de mon mariage avec Adam, je me suis juré ce jour-là que jamais je ne pourrais dire, ni même penser de nous une chose pareille. Mais cela faisait seulement quinze ans que je partageais la vie de mon mari quand Benoît, lui, avait déjà tenu le double, et son silence me disait cela ; il me disait *tu verras, ma p'tite, oui tu verras bien quand tu auras passé trente ans avec le même homme, on en reparlera !* J'ai appris ce jour-là que sa femme s'appelait Claire, qu'elle était blonde, commissaire d'exposition spécialisée en art contemporain, et qu'en effet, ils avaient eu un garçon ensemble. Ce dernier était majeur, à présent ; il n'habitait plus sous leur toit, ce qui au début avait sans doute simplifié les choses mais, très vite, les avait rendues sinistres. Aujourd'hui, Claire et Benoît ne partageaient plus qu'un foyer fiscal. Et peut-être aussi une femme de ménage qui lavait les caleçons et repassait les chemises de monsieur quand il revenait, tous les dix, quinze jours, passer une nuit dans leur appartement. Le reste de sa vie, Benoît la passait à flâner dans les librairies, les cafés, les salles d'art et d'essai. Le midi, il se faisait inviter dans des brasseries du Quartier latin par des journalistes, des hommes politiques à la déroute, ou bien des éditrices qu'avec l'âge il préférait aux attachées de presse car il les jugeait mieux conservées : leur vie professionnelle les avait moins incitées à boire que les premières. Il lui arrivait aussi de quitter Paris pendant plusieurs semaines. Il voyageait alors dans des pays sans touristes aux frais de rédactions qui lui commandaient reportages ou carnets de route, et quand il lui restait un peu de temps, il écrivait un nouveau livre dans un quartier de bourgeois où vingt ans plus tôt il s'était acheté un deux-pièces qui lui servait de bureau, mais pas seulement. Il avait vécu là ses deux plus grandes passions. Et il les avait vécues sans devoir renoncer à Claire, puisqu'il avait imposé dès le début que pour s'adonner pleinement à son art, il lui fallait disposer de vrais et longs moments de solitude. Par la suite, il s'était même offert le luxe de raconter ces adultères dans des livres, ce qui non seulement lui avait valu de l'argent, des prix littéraires, un bon nombre de filles dans son lit, mais aussi et surtout l'admiration de son épouse qu'il avait convaincue, avec toute la perversité dont il était capable, que d'être la compagne d'un romancier reconnu avait un prix : celui d'être bafouée.

Nous parlions d'autre chose à présent, mais je me demandais si une femme aurait pu avoir la même vie que Benoît sans que son entourage ne la regarde comme si elle tapinait rue Saint-Denis. Moi aussi, j'écrivais des livres. Moi aussi, j'avais besoin de vivre des choses pour pouvoir en raconter, et d'être seule ensuite pour les retranscrire. Mais quelqu'un, aujourd'hui encore, était-il capable d'entendre cela de la bouche d'une femme ? Qu'aurait dit Adam si je lui avais tenu de tels propos ? Qu'auraient dit mes parents, les siens, nos amis et tous les gens qui nous connaissaient si un beau matin, j'avais décidé de me louer un studio à l'autre bout de la ville et que, pour aller y passer deux ou trois soirs par semaine, j'avais laissé – que dis-je, *abandonné* – ma maison, mon mari, mes enfants ? Je ne rêvais pourtant pas d'autre chose. Oui, même si c'était un désir honteux, inaudible, il fallait bien l'avouer, j'aurais aimé retrouver un peu de mon indépendance, le silence qui allait avec, les livres que je n'avais plus jamais le temps de lire et la légèreté bénie des solitaires, mais sans pour autant renoncer au reste. Et en théorie, cela ne me paraissait pas si compliqué : il suffisait d'avoir *un endroit à soi*. Seulement en pratique un tel endroit n'avait pas d'autre nom qu'une *garçon*-nière, or, jusqu'à preuve du contraire, j'étais encore une fille.

Aurais-je voulu d'une garçonnière ? Aurais-je *vraiment* voulu d'un lieu dont les hommes se servent pour vivre d'autres amours ? Qu'en aurais-je fait, moi qui n'avais jamais été la femme que d'un seul homme ? J'avais appartenu à Adam, puis à personne pendant sept ans, puis à Benjamin. Et jamais depuis Benjamin, Adam ne m'avait retouchée.

– Mais pourquoi restes-tu avec lui, s'il ne se passe plus rien ?! s'énervait mon amant chaque fois que nous nous retrouvions.

Je lui répondais *Parce que je l'aime* et cela achevait de l'exaspérer. Il disait que je me trompais. Que je n'étais pas honnête. Que si on ne s'aimait plus physiquement, on ne s'aimait plus tout court, qu'il n'y avait pas d'autre indicateur. Benjamin était mignon... À part moi, qui en plus étais mariée, il n'avait eu que des histoires sans lendemain, et il possédait l'innocence des gens qui n'ont jamais vécu avec personne. Il n'avait absolument aucune idée de ce que signifiait le quotidien. Il ne savait pas ce que le temps dans un couple pouvait miner, user, éroder, mais dans le même temps inscrire, ancrer, renforcer, et dans sa confusion totale du désir et de l'amour, il s'imaginait naïvement que les choses étaient très simples, que tout allait bien et puis qu'un beau matin, rien n'allait plus. Tant de choses allaient encore avec Adam ! Je le trouvais toujours aussi drôle, fin, intelligent, philosophe, généreux, cultivé, quant à ses défauts, curieusement ils ne m'étaient pas devenus insupportables avec le temps, et en dépit de nos quinze ans de vie commune, l'impression, à ses côtés, de pouvoir chaque jour devenir quelqu'un de meilleur persistait. Nous appartenions surtout à la même famille. Non pas celle du sang, ou bien du nom, mais à cette entité qui veut dire *genre*. Oui, nous étions de la même espèce, Adam et moi, nous parlions une langue commune, nos cœurs vibraient pour des choses semblables et à un rythme identique. Ainsi, régulièrement, je mesurais combien nous avions parcouru un chemin inverse à celui de la plupart des couples qui nous entouraient. Ceux qui s'étaient mariés en même temps que nous avaient déjà presque tous divorcé, et ils se livraient des guerres sans merci. Ils se disputaient des gardes, des maisons, des pensions, ils prenaient leurs enfants en otage et ne s'adressaient plus la parole que par avocats interposés, ou bien alors ils restaient ensemble mais ne se regardaient plus, ce qui me paraissait pire encore. Le temps n'avait épargné aucune histoire. Avec les années, les uns étaient devenus des ennemis, les autres des étrangers, mais nous, nous n'avions fait que nous rapprocher, nous rapprocher encore et encore, au point de déteindre l'un sur l'autre, de nous fondre ensemble – une sorte de corps à deux têtes. Était-ce beaucoup mieux ? Était-ce là l'ambition maximale que pouvaient s'autoriser les couples dans le cas miraculeux où ils résistaient au temps ? Sans doute, puisque les gens s'émerveillaient tous de ce que nous dégagions. Ils s'étonnaient sans cesse de notre ressemblance. Ils disaient *Oh mais c'est incroyable, vous êtes les mêmes, de vrais frère et sœur !* – et ils avaient raison. En dépit de nos vingt ans d'écart, c'était exactement ce que nous étions devenus, Adam et moi, ce pourquoi aussi nous ne baisions plus, comme s'il eût pu y avoir quelque chose d'incestueux à jouir ensemble. Jouir avec Benjamin me semblait si naturel, en comparaison, si confortable, parce que justement il n'était rien de tout ce qu'Adam représentait pour moi et qu'avec lui, l'abandon était toujours à portée de main. Depuis combien de temps ne l'avais-je pas revu ? Il m'avait laissé deux messages la semaine précédente alors que je me trouvais à la montagne, mais j'avais complètement oublié de lui répondre. Et depuis mon retour, je n'avais pas pensé un seul instant à lui. Je n'avais pensé qu'à Benoît. Benoît allait-il remplacer Benjamin dans ma vie ? C'était la question que je me posais tandis qu'il me parlait à nouveau de son prochain livre et cette perspective, si elle ne m'avait pas concernée, m'aurait sans doute beaucoup fait rire, car on ne pouvait décemment pas remplacer un amant de trente-cinq ans par un de soixante. Non, c'était impossible. Cela n'avait même aucun sens. Un mari alors ? À la limite, mais pourquoi fallait-il que je tombe toujours amoureuse d'un homme qui avait l'âge d'être mon père… J'étais une plaie. Ou bien il s'agissait d'une malédiction ! Mais une malédiction *heureuse*, me disais-je en regardant Benoît avec mes yeux de merlan frit, parce qu'en dépit de son âge, il me faisait battre le cœur. Parce qu'avec lui, *enfin*, je me sentais vivante. Oui, il n'y avait pas d'autre mot : VIVANTE comme je ne l'avais plus été depuis au moins dix ans.

La pluie s'était arrêtée. Derrière les vitres de *not'café*, un soleil aveuglant, aux rayons bien distincts, venait de percer les nuages, et sur le macadam luisaient les couleurs de l'arc-en-ciel, on aurait dit partout qu'on avait aspergé les rues d'essence. Mais il se remettrait bientôt à pleuvoir, la météo avait prévu des averses jusqu'au lendemain, et Benoît a proposé de profiter de cette trêve pour quitter les lieux. Nous avons descendu la rue Malebranche, puis traversé une nouvelle fois le Luxembourg. Il était près de seize heures et Suzanne, en quatrième au lycée Montaigne qui se trouvait juste derrière les grilles, sur la rue Auguste-Comte, sortait dans ces eaux-là. Nous pouvions donc très bien tomber sur elle, ou sur l'une de ses camarades, et ce risque me donnait le sentiment de marcher au bord d'un précipice, mais pour autant, je n'arrivais pas à m'écarter durablement de Benoît. J'essayais pourtant. Je reprenais sans cesse mes distances, seulement au bout de quelques minutes, mon corps était comme aimanté, il se retrouvait collé au sien. Benoît n'avait pas l'air de se rendre compte de ces mouvements. Il avait retrouvé son air d'enfant triste que je lui avais découvert la première fois en sortant du Lutetia, et plus rien ne semblait pouvoir l'atteindre. Enveloppé dans son trois-quarts bleu marine, les mains coincées dans le fond de ses poches, il avançait lentement, comme absent à lui-même, avec ce romantisme un peu surfait qu'il devait déjà afficher à quinze ou seize ans, quand il s'imaginait condamné à vivre seul, loin du commun des mortels parce qu'il serait le plus grand auteur de son siècle, et cet homme-là était si différent de celui qui m'avait dit que j'allais quitter Adam une heure plus tôt que j'ai pensé *tu es folle – complètement folle, ma pauvre folle, Benoît ne t'a rien dit du tout, tu t'inventes des histoires, tu vois et tu entends des choses qui n'existent pas.* Et puis brusquement, à l'approche de la sortie rue d'Assas, il s'est arrêté et il m'a dit :

– Il va quand même falloir qu'on baise.

Il semblait tellement m'en vouloir. J'ai eu envie de rire, et de lui dire *mais non, voyons, nous ne sommes pas du tout obligés !*, seulement il avait un air si grave que j'ai eu peur de le blesser. Et puis je l'ai entendu dire :

– C'est le mot *baise* qui te dérange ?

Et nous avons quitté le jardin.

*

Après cela, l'enfant triste qu'il était parfois n'est plus revenu. Le ciel a recommencé à s'assombrir. Quelques gouttes se sont mises à tomber, et nous nous sommes réfugiés dans un cinéma de Montparnasse. Nous y avons vu un navet argentin. Benoît a glissé sa main entre mes cuisses, mais j'avais mes règles et il l'a retirée en disant *c'est bien malin*. Nous nous sommes retrouvés une énième fois à la rue, sur le trottoir. La nuit était tombée. Il ne voulait plus marcher. Il était fatigué, il avait mal aux pieds. Et à nouveau, je lui ai vu dans le regard quelque chose qui flirtait avec le dégoût, qui disait à quoi bon, pour faire quoi, nous mener où ? C'était plus qu'une fatigue, une vraie lassitude – la volonté soudaine de ne plus m'avoir dans son champ de vision.

— Je vais rentrer, a-t-il lancé.

Je l'ai regardé sans rien dire, complètement égarée. Il m'a demandé si je prenais un taxi. J'ai répondu oui car c'était le mot le plus court et le plus facile de toute la langue française, et qu'un mot de plus aurait suffi à me faire pleurer. Mais je ne savais plus bien ce que je disais. Je savais seulement que Benoît aurait pu m'emmener où il voulait, qu'à cet instant, pour lui, j'aurais tout quitté, non pas par désir, mais parce que s'il me l'avait demandé, je n'aurais pas pu faire autrement que de lui obéir. Il m'a accompagnée en silence jusqu'à la tête de la station à l'angle du boulevard Raspail, et je me suis engouffrée à l'arrière d'une Citroën pour en redescendre un pâté de maisons plus loin. Comment était-ce possible qu'il soit parti ? Qu'il m'ait *abandonnée* ainsi ? J'arrivais à peine à respirer tant j'étais abasourdie. Nous venions de passer une semaine à nous envoyer soixante messages par jour, il me demandait quand est-ce que j'allais quitter mon mari, prétendait que nous allions vivre une grande histoire et voilà qu'il me laissait seule sur un trottoir, sans autre geste que cette phrase absurde, *je vais rentrer* ? C'était complètement absurde.

J'ai descendu tant bien que mal la rue Bréa jusqu'au carrefour de la rue Vavin. Sur la petite place face au kiosque à journaux, des adolescents fumaient de l'herbe en buvant des bières. J'aurais aimé fumer avec eux, leur raconter mon chagrin. L'adolescence est le seul âge de la vie où l'on comprend vraiment ces choses-là. Après, le cœur des gens s'endurcit, ils ont d'autres problèmes – l'argent, la santé, le travail – et l'amour cesse d'être un sujet sérieux. Parfois même un sujet tout court. Sur cette place, un banc était libre et je m'y suis installée. J'ai espéré alors qu'une des jeunes filles assises sur le trottoir en face de moi me reconnaisse, m'adopte, puis m'emmène avec elle dans un appartement sans parents où, avec la tendresse d'une mère, elle me donnerait un bain, démêlerait mes cheveux, me nourrirait, me mettrait au lit, et tout cela sans jamais me demander de sourire ou de sécher mes larmes. C'était ce que nous faisions jadis, entre filles, quand un garçon nous rendait malheureuses. Mais je n'étais plus *une fille*. J'avais cessé d'avoir quinze, seize ou dix-sept ans et il fallait sourire, à présent. Tout enfouir. Il fallait reprendre sagement le chemin de la maison, se composer un joli visage, emprunter une voix gaie, chantante, serrer les filles dans ses bras, leur distribuer un petit compliment à chacune pour qu'elles aient plus tard confiance en elles, qu'elles ne tombent pas entre les griffes du premier connard venu, qu'elles ne se sentent pas moches et connes et abandonnées comme leur mère avait à présent le sentiment de l'être, puis sans transition, se tourner vers Adam et lui donner un petit baiser sur la joue, s'intéresser à lui, lui demander s'il avait passé une bonne journée, parler du président, des prochaines vacances, des impôts, de mon père, de ce sur quoi j'avais envie d'écrire – *rien !* – et finalement se dépêcher de dîner pour pouvoir aller étendre le linge et chialer en paix. Comment réussir à jouer une telle comédie ? Cela me paraissait relever de la performance. Benoît m'avait anéantie. Il était parti en une seconde. Il s'était purement volatilisé, m'abandonnant à un taxi sans même me dire un mot, sans me dire quand nous nous reverrions, et la violence de cette disparition n'avait d'égal qu'un accident.

C'était comme si une voiture nous avait percutés de plein fouet et qu'elle l'avait tué sur-le-champ, à la manière de cette moto qui, sur les Champs-Élysées, avait tué ma mère. J'étais convaincue que je ne le reverrais plus.

J'ai pourtant eu de ses nouvelles dès le lendemain, un peu avant treize heures, par le biais d'un texto dans lequel il me proposait de le rejoindre pour déjeuner. Il avait sans doute bien dormi, retrouvé son désir et son énergie, mais moi, je m'étais rendue malade, je n'avais pas fermé l'œil de la nuit, et je m'étais disputée avec Adam qui, en rentrant des urgences au petit matin, m'avait réveillée alors que je venais tout juste de m'assoupir. Je lui avais dit des choses horribles. Des choses qui ne nous ressemblaient tellement pas que j'en ai honte, maintenant. Je lui avais dit *laisse-moi, va dormir dans le salon, tu ne comprends pas que je ne supporte plus ton odeur d'hôpital, ton odeur de bloc, de tabac froid, j'ai envie d'être seule, j'ai envie d'avoir mon lit à moi, à partir de maintenant on fera chambre à part.* Adam m'avait regardée comme si j'étais folle et il s'était retranché dans le salon. C'était la première fois que je lui parlais comme ça. Et c'était à cause de Benoît, je le savais bien, je n'avais donc pas le droit de continuer de voir un type qui me mettait dans un état pareil. Un type qui me rendait si méchante ne pouvait pas m'aimer. Et s'il ne m'aimait pas, il finirait pas me broyer, alors le plus simple était encore de le lui dire.

Le problème, lui ai-je écrit en réponse à son texto, *c'est que tu ne m'aimes pas assez, mon cher Benoît. On déjeunera donc dans une autre vie.*

J'imagine aujourd'hui combien il a dû rire en découvrant ce message. *Le problème,* quel problème ?! Lui n'en avait jamais aucun ! D'ailleurs, il s'est contenté de proposer un autre restaurant, mon préféré, et en effet le problème a été réglé : j'ai bondi dans un taxi et vingt minutes plus tard, j'étais assise en face de lui, plus ferrée que la veille, mais bien moins encore que le lendemain.

Le week-end nous a séparés. Je l'ai passé en famille et lui aussi, dans une maison du Gâtinais que j'imaginais comme dans les films de Claude Chabrol, sombre et tapissée d'un vieux papier fleuri avec une femme en chemisier de soie dans le salon, et je me demandais si cette femme qui avait l'âge d'être ma mère se rendait compte du nombre ahurissant de messages que son mari m'envoyait par jour. Sans exagérer, je devais en recevoir en moyenne un toutes les trois minutes. Benoît m'écrivait *mon amour, tes petits seins me manquent*, il ne les avait jamais vus pourtant, mais il écrivait *Tes seins, je ne pourrais plus jamais vivre sans / J'ai adoré ta jupe et tes fesses dessous / Te prendre tout même la main / Tu sais bien que cette histoire nous dépasse / Tu sais bien que je t'aime et qu'on va se marier* et moi, pauvre folle, je croyais à tout ce qu'il me disait, et pire, à tout ce que je lui répondais, mais c'était épuisant, cet échange qui n'en finissait plus, qui ressemblait à une longue étreinte sans jouissance, et fatalement au bout d'un moment la frustration a commencé à charrier son lot de mots idiots, son humour de cour d'école – *Soupe au lait / Peste pas brune / T'es tue / Thème souffrir / Faites l'humour pas la guerre* – si bien que le dimanche soir, je n'ai plus été que celle qui faisait des fautes d'orthographe et lui, le petit vieux qui se prenait pour mon prof. Le lundi, lui qui pouvait m'adresser jusqu'à quatre-vingts textos par jour, ne s'est pas manifesté. Rien. Pas un mot. Je me souviens, j'avais posé mon portable bien en évidence sur mon bureau et réglé la sonnerie à fond, mais ce foutu téléphone ne sonnait pas, et à plusieurs reprises je me suis vue le prendre en main pour vérifier si un message n'était pas arrivé clandestinement, sans faire de bruit, comme si ça pouvait arriver – j'étais tellement pathétique ! J'étais surtout incapable de me concentrer sur la moindre des choses que j'avais à faire. Je ne pensais qu'à lui, j'imaginais des scénarios improbables pour m'expliquer son silence, je tapais et retapais son nom sur Google, ce que j'avais déjà fait cent fois mais savait-on jamais, peut-être un détail de ce qu'on disait de lui sur la Toile m'avait-il échappé, et quand cela était fait, je relisais ses messages, j'en écrivais de nouveaux que je trouvais trop nuls pour les lui envoyer, je me levais, faisais trois fois le tour de la pièce, allais m'enfiler la moitié d'une tablette de chocolat puis me jetais sur le lit et me relevais à nouveau pour recommencer le cercle infernal – textos, marche, Google, chocolat, lecture de mes messages oraux. J'étais en train de devenir complètement folle si bien qu'en fin de journée, n'en pouvant plus, je lui adressai un texto sans ambiguïté ni fioriture qui disait simplement la vérité : *Tu me manques*.

Je crois que j'ai attendu sa réponse toute la nuit. Mais ça m'a semblé durer une vie parce qu'elle n'est jamais venue, et le lendemain, les pâques juives ont commencé. Je me suis rendue chez mon frère et ma belle-sœur en début d'après-midi. J'avais promis à Monica de venir l'aider en cuisine car le soir, nous serions une vingtaine à dîner chez eux pour commémorer la sortie d'Égypte qui, elle, n'avait duré que quarante ans, ce qui n'était finalement pas si long.

*

– Mais qu'est-ce que c'est que cette tête ? m'a dit Monica en m'ouvrant la porte.

Je devais avoir l'air vraiment mal, sinon elle n'aurait pas osé me parler avec autant de franchise. On se connaissait trop peu. Monica était mariée depuis douze ans avec mon frère, mais mon frère s'étant rangé derrière mon père quand je m'étais brouillée avec lui dix ans plus tôt, j'avais cessé de les voir aussi. Mon film venait tout juste, comme avec mon père, de nous réconcilier.

– Ça va ? a-t-elle encore dit. Tu as l'air épuisée.

Je l'étais, et j'avais envie de lui expliquer pourquoi. De lui raconter *toute l'histoire* avec Benoît, il n'y avait que ça qui m'intéressait de toute façon, seulement c'était un soir de fête et pour une fois que toute la famille était réunie, je ne voulais pas gâcher l'ambiance avec mes petits problèmes de femme infidèle. J'ai donc dit, pour faire simple, *c'est ma thyroïde*, ce qui n'était peut-être pas complètement faux puisque j'en souffrais depuis six mois. Cela avait commencé juste après le mixage d'*Un vrai salaud.* J'avais été prise d'une fatigue extrême que j'avais d'abord mise sur le compte du tournage mais quand, un soir en rentrant, il m'avait été physiquement impossible de monter les escaliers, je n'avais pas eu d'autre choix que d'aller faire des analyses, et celles-ci avaient révélé que j'étais atteinte de la maladie de Hashimoto. C'était une pathologie qui détruisait la glande thyroïdienne et qui avait la particularité d'être auto-immune, c'est-à-dire créée par moi seule et de toutes pièces. En réalité, j'avais fabriqué des anticorps pour détruire un virus quelconque, m'avait dit l'endocrinologue, mais au lieu d'attaquer ledit virus, je m'étais trompée de cible et m'en étais prise à mes propres cellules – *un bug.*

– C'est une sorte de suicide cellulaire, vous voyez ?

– Oui, enfin... Je n'imaginais pas que des cellules pouvaient se suicider, mais si vous le dites.

– Ah si, si, c'est très fréquent ! Surtout dans votre cas. Enfin, je veux dire, quand on vient, comme vous, de faire un travail sur le père, sur les origines. Ça se paye, madame. Tout se paye, vous savez, dans la vie.

Ce gentil médecin très psychologue m'avait ensuite expliqué que cette glande semblable à un joli petit papillon logée à la base de notre cou accélérait le métabolisme, augmentait la consommation d'oxygène, élevait la température du corps, dégradait les lipides et les glucides, synthétisait les protéines, activait le système nerveux ainsi que le cérébral – bref, ne servait à presque rien, et j'en avais donc déduit que dans les semaines à venir, je n'aurais pas d'autre issue que de devenir grosse, frileuse, dépressive, sujette aux crises de tachycardie, aux troubles de mémoire, à un déficit flagrant de concentration, mais cela ne devait pas être encore assez pour une consultation à cent cinquante euros car, pour finir, le ponte s'était senti obligé d'ajouter :

– Et cette maladie est incurable.

J'avais fait un malaise vagal. J'étais tombée raide sur sa moquette à poils longs, il m'avait mis quelques claques pour me réveiller puis, d'un ton professoral, avait dit qu'*incurable* ne signifiait pas *orpheline*, et qu'il existait un traitement très simple, sous forme de petits cachets, pour rééquilibrer ce foutoir hormonal – ce n'était pas non plus la peine d'en faire toute une histoire ! Je devrais prendre ce traitement à vie, avait-il dit, et pratiquer des prises de sang tous les deux mois pour vérifier le dosage car ma thyroïde ayant une activité anarchique, rien ne se régulerait définitivement, et surtout pas mon émotivité : je n'avais donc plus du tout la santé pour supporter que quelqu'un me la mette à mal.

– Tu devrais refaire des analyses, a dit Monica, et alors que nous nous dirigions vers la cuisine, j'ai pensé : *Tu devrais parler à Benoît de Hashimoto.*

*

À dix-neuf heures, Benoît ne m'avait toujours pas donné le moindre signe de vie, et je me suis mise à perdre pied. Symptômes ? Douleur au plexus, gorge nouée, souffle court, plaques rouges au niveau du cou et du visage, incapacité totale à continuer de faire bonne figure. Par chance, en enfilant ma tenue de rechange pour le soir dans la salle de bains de Monica, je suis tombée sur une boîte de Lexomil et j'en ai avalé une barrette. Cela ne m'a pas changée du tout au tout, mais j'ai au moins pu accueillir dignement mes filles, Adam, mon frère, ainsi que deux couples d'amis que Jonas et Monica avaient invités pour ce premier soir du seder.

Nous avons commencé à prendre l'apéritif. J'ai avalé un verre de blanc, puis un second, et le mélange alcool/Lexomil m'a bien plu : il me rendait gaiement triste et je ne voyais plus trop le temps passer. Vers vingt et une heures, le plus petit de mes neveux s'est endormi, les autres se sont mis à râler parce qu'ils mouraient de faim. Mon père, évidemment, n'était toujours pas là.

– Peut-être qu'il ne viendra pas, a osé Monica.

J'ai lâché un petit sourire qui voulait dire *vous vous attendiez à quoi ? On ne change pas les rayures d'un zèbre !* et ce sourire était surtout destiné à Adam, mon complice en tout, mais pour la première fois, il n'y a pas répondu et j'ai cru que c'était à cause de mon père, à cause de la totale absence d'humour qu'il avait sur ce dossier-là, mais je me trompais : Adam me regardait et il pensait uniquement à toutes les choses horribles que je lui avais dites quelques jours auparavant, dans un demi-sommeil. Je lui avais avoué que je voulais faire chambre à part, or il savait bien, en tant que médecin, que cet état physiologique n'est pas celui des choses dites en l'air.

J'ai proposé qu'on passe à table sans attendre mon père, et Jonas, agacé, m'a répondu :

– Mais oui, c'est ça, bien sûr… Tu ferais mieux de l'appeler pour voir où il est, oui, au lieu de dire des conneries grosses comme toi.

Je savais que cet appel ne servirait à rien, mais si cela pouvait faire plaisir à mon frère… J'ai pris le téléphone qu'il me tendait et, de manière assez prévisible, avant même que je ne pose la moindre question, mon père a grogné qu'il était *juste en bas*. Il n'est apparu que vingt minutes plus tard – *eh ben ouais, quoi ? Moi, j'bouffe à l'heure espagnole, c'est comme ça !* – au bras d'un tapin marocain aux cheveux de jais, lèvres refaites, seins siliconés moulés dans une robe de cuir dont tout dépassait, et ce spectacle improbable n'a fait rire que moi. Sans doute parce que mon père ressemblait de plus en plus au personnage que j'en avais fait dans mon film, et que les personnages qu'on invente nous inspirent toujours une infinie tendresse. Il était réellement devenu cet éternel adolescent qui avait décidé que la vieillesse ne passerait pas par lui. Et il ne supportait pas qu'on le juge, ce qu'évidemment, nous étions incapables de ne pas faire. Ainsi, quand il nous rendait visite, une fois par trimestre, il faisait bien des efforts, mais il avait tout le mal du monde à nous supporter. Il nous voyait comme ses grands-parents, des petits censeurs aigris, les gardiens d'une morale que sa génération s'était efforcée de mettre en pièces, et il nous sentait si pétris de conventions, si bourgeois dans notre façon de vivre qu'il n'avait pas d'autre choix, pour y résister, que d'être dans la provocation. Toutefois, depuis la sortie de mon film, il avait cessé de l'être avec moi. Sans doute parce qu'il s'était rendu compte, à travers ce travail, que sa fille l'aimait, ce dont il avait toujours sérieusement douté, si bien que quelque chose en lui s'était apaisé. Je m'en suis surtout rendu compte ce soir-là, à la manière qu'il a eue de taper du plat de sa main sur le canapé pour que je vienne m'asseoir à côté de lui, ainsi qu'il le faisait lorsque j'étais enfant – notre lien avait retrouvé une forme d'innocence. J'ai pensé alors que j'avais tort, bien sûr que les rayures des zèbres changeaient, elles ondulaient en fonction de la lumière, et surtout de la place depuis laquelle on les observait. Adam avait quitté la sienne en face de nous. Je l'ai cherché du regard un moment, mais il devait être passé dans une autre pièce, et j'étais incapable de dire si avec mon père, ils s'étaient embrassés, salués, ou juste ignorés.

Après cela, l'effet du Lexomil s'est estompé, je me suis remise à penser à Benoît, et une tristesse crasse a commencé de m'envahir. Je n'arrivais plus à être là, à profiter de ce moment alors que pendant dix ans, chaque année à Pessah, je m'étais entendue répéter non pas *l'an prochain, à Jérusalem !* comme le veut la tradition, mais *l'an prochain, avec ma famille !* Je m'en suis voulu de ce gâchis, de cette incapacité à me protéger des autres. Comment les autres, à mon âge, pouvaient-ils encore m'abîmer à ce point ? Je me suis levée et mon père m'a demandé où j'allais, mais je me souviens de n'avoir même pas eu l'énergie de lui répondre. Je suis allée dans la pièce voisine, Adam n'y était pas, j'ai alors ouvert la baie vitrée qui donnait sur le bois de Boulogne et je me suis glissée sur le balcon. L'endroit ressemblait à une cave. Des vélos étaient entassés là, à la verticale, il y avait aussi des chaises empilées sans protection, des jeux d'enfants, des vêtements dans des boîtes en plastique, tout ce genre de merdes dont on s'encombre au cours d'une vie et dont on est infoutu de se séparer, et je me suis dit que c'était peut-être la même chose avec Benoît : il ne me servait à rien et il occupait une place indécente dans mon esprit, mais je n'arrivais pas à m'en détacher.

Quelqu'un dans le salon a crié *à table !* Il fallait rejoindre les autres. Il fallait surtout être gaie, c'était la fin de l'esclavage, c'était la fête, la liberté, n'est-ce pas ? J'ai ri toute seule tant mon décalage avec les Hébreux était immense, puis je me suis demandé comment j'allais tenir jusqu'à la fin de cette soirée, simplement *tenir debout*, j'avais juste envie de me coucher et de dormir pour ne plus avoir à penser… C'est alors que mon téléphone a vibré. Je l'ai sorti de ma poche, j'ai vu un B affiché, B pour Benoît mais je n'y ai pas cru, j'ai regardé encore et cela m'a semblé si inespéré, si miraculeux qu'il me réponde pile à ce moment-là et après toutes ces longues heures de silence que j'ai eu la sensation qu'enfin l'esprit de Pessah était là, que la mer s'ouvrait devant moi, et j'ai eu envie de danser de joie ! Ce qu'il disait ? Oh, rien ! *Quescequejetedisaisdéjà ?*

Qu'est-ce-que-je-te-disais-déjà. Benoît était ce type insupportable mais irrésistible, qui réussissait, comme les sales gosses, à se faire pardonner en un mot et à transformer votre colère en un grand sourire. De retour dans la partie du salon où une longue table avait été dressée, le mien n'échappa à personne.

– Ah, enfin, un sourire ! a dit mon père en me faisant signe de venir m'asseoir à sa droite. Faisnous partager la bonne nouvelle !

– Oh oui, on adore les bonnes nouvelles ! a gloussé sa putain marocaine, et le dîner n'avait pas commencé que d'emblée, la tension est montée d'un cran.

J'ai annoncé – n'importe quoi – que mon film venait de recevoir un prix. Adam, Jonas, Monica et leurs couples d'amis ont alors levé leur verre et applaudi. Mon père, lui, est resté assis. Il a seulement dit que ça ne l'étonnait pas, qu'un film sur lui ne pouvait pas ne pas marcher et je me suis mise à rire, mais il n'a pas compris pourquoi. Par miracle, dans le brouhaha général, Adam n'a pas eu l'air de l'avoir entendu. Il s'était installé avec les enfants à l'autre bout de la table et lorsque Monica s'en est rendu compte et qu'elle a voulu échanger sa place avec la sienne, il n'a rien voulu savoir – il était très bien là où il était, c'est-à-dire loin, très loin de mon père, et loin de moi aussi qui venais d'envoyer un message à Benoît pour lui demander pourquoi il jouait ainsi.

Mon frère, à ce moment-là, s'était déjà levé, haggada de Pessah en main, et il était en train de réclamer le silence. Il débuta son discours en disant que c'était un soir très important. Une fête capitale, peut-être plus sacrée encore que le jour du Grand Pardon parce que collective, une fête qui célébrait la fin de l'esclavage, le don de la Torah au mont Sinaï, et surtout la naissance du peuple juif en tant que nation. Mon frère rappela que depuis plus de cinq mille ans, dans le monde entier et de génération en génération, les juifs, en ce premier soir de seder, se souvenaient d'où ils venaient et de ce qu'ils étaient. Il se mit alors à parler de nos grands-parents Dorit et Chaskiel qui, avant d'immigrer, vivaient à Odessa comme des esclaves, comme des parias, et que la France avait été pour eux une terre promise – il ne fallait pas les oublier. J'eus envie d'ajouter qu'ils avaient ensuite été déportés et qu'ils avaient connu l'enfer, mais Jonas aurait gueulé

Oh on, pas de quart d'heure Shoah ce soir, please !
et ça aurait pu mal finir. De toute façon, mon
frère avait déjà enchaîné sur la notion de liberté.
Ce mot-là a eu l'air de résonner, et il y a bien eu
quelques secondes où chacun, en son for intérieur,
a tenté de se figurer ce qu'il signifiait réellement,
mais mon père n'était pas croyant, pas pratiquant
non plus, il aimait la tchoutchouka, les bestels et
les tables de fête, pas qu'on l'emmerde avec de
l'histoire ou de la morale et il a demandé qu'on
abrège. Nous avons donc bâclé la bénédiction sur
le vin puis très vite cassé en deux le pain azyme
et ensuite, les enfants ont posé leurs questions.
C'était la tradition. Léa a commencé. Elle a dit
*pourquoi cette nuit est-elle si différente des autres
nuits ?* Jonas devait lui répondre une phrase écrite
dans son livre, mais Benoît a réagi le premier, *parce
que je t'aime aussi*, et à partir de ce moment-là, ça
n'a plus été qu'une longue partie de ping-pong à
table comme sur mon portable, chaque question
entraînant une réponse qui en appelait une nouvelle, et quand j'en suis venue à livrer à Benoît,
parce qu'il me le demandait, le détail de ce que je
portais ce soir-là, Jonas s'est mis, lui, à énumérer
les dix plaies d'Égypte, ce qui a donné à peu près
ceci : sang / talons aiguilles / grenouilles / pantalon / vermine / string / bêtes sauvages / dentelle
noire / peste / veste de smoking / ulcère / rien
en dessous / grêle / non, pas de soutien-gorge /

sauterelles / oui, seins nus / ténèbres / je la remettrai pour toi / morts des premiers-nés.

J'avais évidemment coupé la sonnerie de mon portable, mais il était posé sur la table entre mon père et moi, et malgré tous mes efforts pour tenter de rester discrète, il ne lui avait pas échappé que j'étais davantage sur mon écran qu'à la fête.

– Bon, ça va bien, là ? a-t-il fini par dire. On peut savoir ce que tu fabriques ?

– Elle *tweete* ! a répondu Suzanne qui, allez savoir pourquoi, s'était levée de table et se trouvait juste derrière moi, et elle l'avait dit avec une telle hargne qu'aussitôt, la honte m'a submergée.

J'ai expliqué minablement qu'il s'agissait d'un énième message professionnel, je me suis excusée, puis j'ai remis mon téléphone dans le fond de ma poche. Seulement, il ne s'est pas arrêté de vibrer et, sous le regard navré d'Adam, a commencé alors un autre manège, celui qui consistait à me lever sans cesse pour aller vérifier que le plus petit de mes neveux dormait bien, qu'il n'y avait plus de plats à prendre en cuisine, ou bien encore à me rendre aux toilettes trois fois de suite comme si une gastro fulgurante venait de me terrasser. Tout prétexte était bon pour me soustraire au regard des autres cinq minutes, *juste cinq minutes*, il ne m'en fallait pas davantage pour lire le nouveau texto de Benoît et lui taper une réponse en retour. Pendant ce temps, le dîner se poursuivait. Nous mangions le persil qui symbolisait les larmes de la servitude, les herbes amères l'amertume des esclaves, mais j'étais tellement dans mes textos que je ne voyais pas à quel point je l'étais de mon portable qui était mon seul lien avec Benoît. Je n'arrivais pas à me raisonner. C'était plus fort que moi, je ne *pouvais* pas briser le fil de cette conversation. Elle n'avait pourtant aucun intérêt, elle me mettait gravement en danger et elle faisait de moi une femme indigne, semblable à une gamine de quatorze ans qui serait pour la première fois tombée amoureuse, mais peut-être tombait-on toujours de la même manière, peut-être l'âge n'avait-il rien à voir avec la façon de tomber et, à quatorze comme à trente-cinq ou soixante-quinze ans, le sentiment amoureux nous ramenait-il toujours à l'adolescence ? Sans doute, seulement je crois aussi que je n'arrivais pas à décrocher parce que je découvrais le vrai visage de Benoît, et ce visage était si éloigné de celui qu'il m'avait montré jusque-là que je ne voulais pas m'y résigner. Ainsi, chacun de mes messages visait à le voir réapparaître comme au premier jour. Comme au Lutetia, au Luxembourg, comme dans *not'café* de la place de l'Estrapade ou durant cette longue semaine aux sports d'hiver qui nous avait vus nous écrire du matin au soir, mais l'effet escompté ne se produisait jamais : plus notre échange durait, plus ce Benoît-là s'éloignait. Et en vérité, il n'y avait rien d'étonnant à cela. C'était même un phénomène parfaitement naturel puisque cet homme-là n'existait pas. Je le croyais vrai alors qu'il était de paille. Un leurre, un épouvantail, une simple doublure que Benoît m'avait envoyée en ambassade pour m'approcher et me séduire, mais dont il n'avait plus besoin maintenant qu'il me tenait dans le creux de sa main. Et alors qu'il commençait son entreprise de démolition, moi je le laissais jouer avec mes nerfs, pensant naïvement être hors de tout danger quand son jeu n'était pas du tout le même que le mien. Pour moi, c'était celui, sans risque, de la séduction. C'était le petit jeu du début, sans gagnant ni perdant, qui ne visait qu'à retarder le moment d'être ensemble pour le rendre plus fort encore, plus excitant, mais Benoît, lui, n'était excité que par une chose – *vaincre*. Écraser l'autre. Il ne connaissait pas d'autres rapports. Il ne savait pas se faire aimer sans faire souffrir. Et si au début, il avait feint les généreux, les grands sincères, en vérité, il ne donnait rien. Il prêtait seulement, et son temps, et ses sentiments, alors quand, sans prévenir, il vous les reprenait – ce qu'il était précisément en train de faire –, vous vous sentiez amputée de quelque chose, affaiblie, et vous commenciez à perdre confiance en vous, à vous dire que c'était votre faute, que vous n'étiez pas assez bien, que vous aviez mal agi, que s'il se comportait désormais avec cynisme et distance, c'était que vous ne méritiez pas mieux, et vous finissiez par vous contenter du toujours moins qu'il vous accordait – quelques heures dans un café. Oui, Benoît était comme ça. Il appartenait à cette race de gens qui esquinte l'estime que vous avez de vous pour réussir à en avoir un tout petit bout pour eux. C'était un homme qui s'aimait si peu. Qui se méprisait tellement ! Peut-être parce qu'il avait une ambition démesurée, une culture écrasante, et qu'en dépit de ses distinctions et de ses succès, il savait bien qu'il n'était pas Dostoïevski. Il avait du talent mais pas de génie, et toute sa méchanceté n'y changerait rien. Il mettait pourtant un point d'honneur à ce qu'on dise cela de lui – *quelle méchanceté !* – car c'était le premier trait de caractère qu'on prêtait aux grands artistes, mais avec le temps, il avait fini par n'être plus que cela, un cynique, un aigri, un amer, quelqu'un qui passait son temps à détruire chez les autres ce qu'il avait ruiné en lui, ou bien alors à toucher des avances auprès d'éditeurs qui lui commandaient des textes qu'il torchait en quelques semaines, mais jamais plus le prodige qu'il avait été à ses débuts. Longtemps, Benoît fut considéré comme l'écrivain le plus doué de sa génération. Outre le style, la sensibilité, l'intelligence, toutes ces choses que les gens dans les domaines artistiques peuvent affiner au cours d'une vie, lui possédait ce que si peu d'êtres reçoivent à la naissance et qui ne s'apprend jamais – *la grâce*. Seulement, il l'avait gâchée comme le reste, parce qu'il était ainsi, quelqu'un qui gâchait tout, un ours, un rustre, un impossible, mais c'était cela aussi qui le rendait si séduisant car on s'imaginait, avec son seul amour, qu'on allait pouvoir changer cela.

Nous en étions au dessert. J'en avais assez des messages, et j'étais épuisée par la tension que produisait en moi cette situation. Maintenant, je voulais le voir. L'entendre. Le toucher. J'étais rentrée du ski, nous nous trouvions dans la même ville, dans des arrondissements voisins, nous n'avions ni l'un ni l'autre des agendas de ministre – c'était simple ! Pour finir, je lui ai donc proposé de m'accompagner le lendemain au théâtre où je devais aller voir un acteur, mais soudain mon portable est devenu silencieux, plus de réponse, plus rien ! Allait-il me laisser sans nouvelles pendant encore vingt-quatre heures, comme il l'avait fait la veille ? Je l'en savais parfaitement capable et cela m'enrageait. Pourquoi agissait-il ainsi ? Pourquoi ce silence et ce jeu et cette torture alors que tout avait été si simple au début entre nous ?! Léa était venue s'asseoir sur mes genoux. Elle tripotait mes bracelets et, avec sa petite voix aiguë de dessin animé, m'entretenait de son cours de danse, mais ma colère était telle que j'avais juste envie de lui dire de la boucler ! Qu'est-ce que Benoît pouvait avoir de mieux à faire que de me répondre ?! Était-ce si compliqué de répondre à cette question ? Voulait-il, *oui* ou *non*, m'accompagner au théâtre ? Il n'avait que trois lettres à taper sur son putain de clavier, *oui* ou *non*, et à ce que j'en savais, il n'était pas handicapé des doigts, *monsieur le roi du texto* qui m'avait adressé près d'un millier de messages en deux semaines ! J'étais furieuse. Exaspérée par l'attente, la situation, l'état insensé dans lequel me mettait cette histoire, si bien que n'en pouvant plus, au bout de vingt-cinq minutes, j'ai attrapé à nouveau mon portable et je lui ai demandé d'oublier ma proposition, mon nom, mon numéro de téléphone, et comme chaque fois que je décidais d'en finir avec lui, le soulagement que j'ai éprouvé a été total, une paix proche de la jouissance – *une délivrance !* Adam a dû le sentir car il s'est levé pile à ce moment-là : une urgence le réclamait soi-disant à l'hôpital. Je l'ai raccompagné jusqu'à la porte. Je l'ai regardé enfiler son manteau, le boutonner, puis enrouler son écharpe autour du cou et comme pendant tout ce temps, il n'a pas voulu poser ses yeux une seule fois sur moi, j'ai fini par lui dire, un peu bêtement :

– On ne s'est pas beaucoup parlé, ce soir.

– Non, on ne s'est pas beaucoup parlé.

– Je suis désolée, j'ai dit. Excuse-moi.

Il m'a ordonné de me taire. Il avait les mâchoires serrées, les yeux qui avaient viré à l'acier, et il a dit :

– Pourquoi, au juste, tu m'as demandé de venir ?

– …

– C'était bien la peine de te réconcilier avec ta famille, si c'était pour leur montrer une image si laide de la nôtre.

– Je suis désolée, Adam, pardonne-moi…

– Il y a une chose au monde qui me dégoûte, ce sont les femmes qui ne tiennent pas l'alcool. Tu ressemblais à ça, ce soir. À une femme beurrée. Tu me fais honte.

J'étais sûre qu'il allait me quitter. Comme ça. Là, sur le palier de chez mon frère, parce qu'on pouvait très bien quitter quelqu'un pour un mot, ou une attitude, ça suffisait amplement, seulement par une sorte de miracle inouï une sonnerie qui n'était pas la mienne a retenti et j'ai dit à Adam :

– Ton téléphone.

Il l'a sorti de la poche intérieure de son manteau, a consulté l'écran, est devenu blême.

– Qu'est-ce qui se passe, j'ai demandé. C'est l'hôpital ?

Il était paralysé. J'ai reposé ma question un ton au-dessus, alors tout doucement il a relevé la tête, et au temps qu'il a laissé s'écouler avant de s'exprimer, j'ai compris qu'un événement terrible venait d'arriver.

– Dis-moi ce qui se passe, ai-je répété. Parle !

– Ça y est, a-t-il murmuré. Claude est parti.

Il venait de l'apprendre par une alerte du *Point*, et même si nous nous étions préparés à cette nouvelle, un instant, j'ai eu envie de croire que c'était faux, qu'il me mentait, qu'il n'avait inventé ce drame que pour me rendre au centuple le mal que je venais de lui infliger au cours de ce dîner. Mais c'était vrai, bien sûr. Mon producteur venait bel et bien de s'éteindre d'un cancer à l'âge de cinquante-huit ans. Adam ne s'était vengé de rien. Et j'avais mal à en crever.

Il y a eu un moment de flottement. Une minute ou deux durant lesquelles Adam n'a osé ni me toucher ni me parler, et dans ma solitude d'orpheline, j'ai revu mon papa de cinéma tel qu'il m'était apparu pour la dernière fois. C'était le mercredi de la sortie d'*Un vrai salaud*, à quatorze heures. Claude était assis en vitrine à l'intérieur de ce restaurant touristique en face des sept cinémas, sur les Champs-Élysées, lesquels jouxtent l'ancien magasin de mes parents désormais occupé par l'enseigne Pomme de pain. Il avait commandé une entrecôtefrites qu'il avait à peine touchée et il attendait, fébrile, les premiers résultats. Plus personne dans le cinéma ne s'adonnait à ce rituel le jour de la sortie d'un film à part lui. Lui écrivait toujours à la plume, ne possédait pas d'adresse mail, aimait la variété française et envoyait son assistante à la caisse du Gaumont Ambassade pour se faire communiquer les premières entrées. Il avait du mal à contenir son impatience. Il bombardait la fille de textos, dessinait des formes géométriques sur son set en papier et, à intervalles réguliers, regardait au-delà du flot des voitures pour voir s'il y avait foule sur le trottoir d'en face. D'une voix blanche, il disait *ça va aller, ne t'inquiète pas, ça va marcher,* mais je ne savais plus s'il parlait pour moi ou bien pour lui. Il portait un joli panama qui recouvrait son crâne de cancéreux, et c'était la seule chose qui me semblait tangible. On s'évitait du regard. On essayait de ne pas trop rêver, de chasser la peur, on attendait comme dans la salle d'attente d'un hôpital. Et quand les chiffres sont enfin tombés, Claude a eu l'air d'éprouver une sorte de soulagement ; celui sans doute d'avoir échappé à une catastrophe. J'ai pensé alors que si au cinéma tout se jouait sur un chiffre, c'était peut-être le cas aussi dans la vie. Oui, peut-être que si ses marqueurs ne se révélaient pas trop mauvais, Claude serait sauvé. C'est en tout cas ce qu'il me disait. *On est sauvés, ma p'tite chérie, on ne va pas gagner de fric, mais au moins on nous accordera un sursis, le droit de faire un deuxième film ensemble et ce n'est déjà pas si mal. Moi, j'te le dis, c'est pas encore demain qu'on m'enterrera !*

– On va l'enterrer quand, tu crois ?
– Je ne sais pas, a dit Adam. C'est souvent une question de place. S'il y a déjà un caveau familial, ça ira vite.

Il avait posé et ouvert sa sacoche sur une console, puis sorti un bloc d'ordonnances sur lequel il griffonnait maintenant une suite de mots illisibles. Quand il a eu terminé, il a dit qu'il voulait que je m'arrête dans une pharmacie avant de rentrer pour acheter du Lexomil.

– Tu en prendras une moitié, ça t'aidera à dormir.

Fallait-il l'informer que c'était déjà fait, que j'en avais volé dans la salle de bains de Monica et que deux Lexomil pour quelqu'un qui ne prenait jamais rien, cela ferait peut-être un peu beaucoup ? Mais pour quelle raison en aurais-je déjà pris ? Je n'ai rien trouvé à inventer et il a ajouté :

– Les filles vont dormir ici, ce sera plus simple. Ton père va te ramener. Il restera avec toi jusqu'à ce que je rentre de l'hôpital.

– Pourquoi ? Je me sens bien, je n'ai pas besoin…

Adam n'a accordé ni crédit ni attention à mes paroles, ce qui signifiait *tu ne vas pas, en plus, en rajouter*, et il est allé chercher mon père. Il lui a fallu moins de vingt secondes pour le faire lever. Il avait retrouvé l'autorité de sa fonction. Le respect qu'elle imposait. Il n'était plus le gendre de cet homme dont quelques heures plus tôt il avait guetté, inquiet, l'arrivée, mais le chirurgien Lenczner, interne des hôpitaux de Paris qui pratiquait chaque jour des opérations à cœur ouvert et donnait des instructions que personne n'aurait osé discuter. Mon père n'a pas fait exception. Il avait bien trop peur des blouses blanches, de la maladie et de la mort pour formuler la moindre remarque, et il m'est apparu à ce moment-là que c'était sans doute pour cette raison que j'avais épousé un médecin. Mon père les craignait autant qu'il les admirait ; ils étaient les seules personnes au monde devant lesquelles il pût s'écraser.

Nous avons quitté l'appartement de Jonas et Monica en même temps. Dans l'ascenseur qui nous descendait lentement du cinquième étage, Adam, mon père et moi n'avons pas ouvert la bouche. Seule la Marocaine meublait le silence de ses questions sur Claude, et la perspective de pouvoir être coincée là, entre deux paliers, entre mon mari, mon père et sa putain sans le moindre réseau, me nouait l'estomac. Je baissais les yeux pour leur échapper. Nous portions tous des chaussures sombres, d'enterrement, excepté mon père qui avait osé les *furlanas*, ces chaussons de gondolier qu'il se faisait faire sur mesure à Venise, pourvus à sa demande d'une petite talonnette de quatre ou cinq centimètres. Il en avait de toutes les couleurs, pour toutes les saisons et toutes les occasions. Cette paire-ci était en velours moiré, violette comme une pensée brodée d'une arabesque parme sur le cou-de-pied, ornement qui ajoutait encore à la préciosité de l'objet mais que le port d'un jean troué et délavé cassait complètement. J'ai étudié ce savant mélange des genres tout au long de notre descente, et il m'a semblé que cet accoutrement le résumait parfaitement : mon père était tout entier dans ses vêtements. Les portes ont fini par se rouvrir. Adam a murmuré un vague *bonsoir* sans nous regarder, puis il a marché droit vers la sortie, on aurait dit qu'il courait.

Dehors, la pluie tombait de nouveau. La berline de mon père était garée en épi, dans la contre-allée de marronniers de l'autre côté du boulevard, et il m'a pris le bras pour traverser tandis qu'à notre suite, la Marocaine se voilait afin de protéger son brushing. Il m'a ordonné de m'asseoir à l'avant, à côté de lui. Je me suis sentie gênée de voir cette femme avec laquelle il couchait s'installer à l'arrière, comme une enfant, mais elle semblait trouver cela normal et je ne pouvais pas être plus royaliste que le roi. Nous avons traversé le bois de Boulogne jusqu'à la porte Dauphine sans dire un mot. La radio était branchée sur Fip. Elle diffusait une musique de jazz que j'avais toujours entendue dans la voiture de mon père, la tête exactement comme ça, tournée vers l'extérieur, collée contre la vitre sur laquelle ruisselaient des gouttes d'eau qui faisaient loupe – rien n'avait changé depuis l'enfance. Non, rien, sinon que les morts s'ajoutaient aux morts, les absents aux absents et c'était toujours le même scandale. Comment accepter qu'un type comme Claude ait pu mourir ? Un type aussi vivant que lui... Je revoyais sa peau bronzée de Turc, ses pieds nus l'été dans ses espadrilles, ses chemises ouvertes sur son torse glabre, ses mains de fille, ses ongles polis, son odeur mêlée d'Habit rouge et de tabac froid – il n'était pas fait pour mourir. Je voyais pourtant très bien son corps qui devait maintenant gésir dans le tiroir d'une morgue, inerte et glacial, dégageant l'odeur fétide d'une décomposition en marche, et cette image-là commençait déjà à supplanter l'autre, vivante, me rappelant avec douleur combien les souvenirs mouraient aussi, mouraient comme les gens – *inévitablement*. Tous les feux étaient verts. Mon père allait vite. J'aurais voulu qu'il ne s'arrête jamais. C'était la seule manière de vivre.

Avenue Raymond-Poincaré, où il possédait un pied-à-terre qui lui servait de chambre d'hôtel quand il venait à Paris, il s'est arrêté en double file. La Marocaine a dit qu'elle n'avait pas les clefs de l'appartement. Mon père les lui a données et, comme une collégienne qui aurait reçu sa semaine, elle s'est hissée au-dessus de son siège pour l'embrasser sur la tempe. Ensuite, elle s'est tournée vers moi, a dit combien elle était heureuse de nous avoir tous rencontrés et je l'ai regardée trottiner sur ses hauts talons en direction de l'immeuble, mais je ne l'ai pas vue s'y engouffrer ; mon père avait déjà redémarré.

– C'est une gentille fille, tu n'as pas trouvé ?

– Oui.

– Non ?

– Si, si.

Il a laissé passer quelques secondes, mais finalement n'a pu s'empêcher :

– Quel enthousiasme, ça fait plaisir !

– Je viens de perdre mon producteur, papa, je n'ai pas tellement le cœur à sourire.

– Oui, bien sûr, je comprends, a-t-il admis. Puis tout de suite après :

– Et le type que tu as rencontré, il est aussi dans le cinéma ?

Nous étions avenue du Président-Wilson. Nous filions à toute berzingue sur cette artère déserte qui plonge vers l'Alma et depuis un moment déjà, je pressentais le pire, je me voyais finir dans le décor, me prendre un mur, un trottoir, une autre voiture – mais non, c'était juste une question. *Cette* question. Petite interrogation anodine mais qui commençait par une certitude insupportable, *le type que tu as rencontré*, comme si je lui en avais fait la confidence, comme si c'était un secret que nous partagions tous les deux alors que mon père était la dernière personne au monde à qui j'aurais eu envie de confier une chose pareille, si bien que pour mettre fin à ce mensonge grossier, j'ai répondu, très calme :

– Non, mais de quoi est-ce que tu parles ?

Mon père a éclaté de rire :

– Ah, ah, ah !!! Très bon ! Très drôle ! Non mais tu ne vas pas me la faire à moi, quand même ?! Tes messages professionnels à dix heures du soir, c'est bon pour ton gentil mari qui t'aime, pas pour ton père ! Et d'abord, est-ce que tu es amoureuse ?

J'aurais voulu lui dire de la fermer mais pour une raison que je ne m'explique pas, je me suis entendue lui répondre oui. *Oui, je crois que je suis amoureuse*, et il a dit que dans ce cas, j'étais dans la merde.

Comme si je ne le savais pas.

Nous avons traversé la Seine à la Concorde. Mon père m'a demandé ce que j'avais l'intention de faire. Je suis restée muette parce que je n'avais pas de réponse. Y avait-il seulement *quelque chose à faire* en pareille circonstance ? Pour l'instant, je prenais chaque nouvelle journée comme d'autres la vague, telle qu'elle venait, sans autre objectif que de ne pas perdre l'équilibre, et cela me paraissait déjà très héroïque. La façade du palais Bourbon était éclairée aux couleurs de la France. Une phrase d'Aimé Césaire commençant par *ma bouche sera la bouche des malheurs qui n'ont point de bouche* barrait les colonnes en leur milieu, mais le feu est passé au vert et je n'ai pas pu la lire dans son entier.

– Si tu dois quitter Adam, a repris mon père, quitte-le sans attendre.

– Mais je ne veux pas le quitter !

– J'ai dit *si*. *Si* demain tu te lèves et que tu en as envie, on ne sait jamais.

Ce n'était pas drôle, et pourtant nous avons ri tous les deux. Je m'en suis voulu. J'ai reproché à mon père d'être vraiment impossible.

– Aujourd'hui, a-t-il poursuivi, tu as encore une petite chance de refaire ta vie, et *petite* ce n'est pas *nulle*, mais à condition de te bouger les fesses, parce que demain matin tu auras quarante ans et ce sera terminé. Écoute bien ce que te dit ton père : *terminé*. Une femme est morte après quarante ans.

J'ai dit *oui, tu as raison*, parce que je le savais depuis longtemps perdu pour la cause, et que j'avais décidé que ses mots ne m'atteindraient plus – sinon à quoi bon avoir écrit un livre puis fait un film sur lui ? Il parlait toujours et je m'efforçais de ne plus l'entendre. C'était la seule chose à faire. J'y parvenais plutôt bien. Petit à petit sa voix me devint lointaine, étrangère, et puis à un moment donné il n'y eut plus du tout de son, mais simplement l'image dans le pare-brise qui s'était changé en un écran seize neuvièmes. C'était une image qui aurait pu être signée Darius Khondji, où les feux du faubourg Saint-Germain, en enfilade, parsemaient la nuit de pastilles colorées que la pluie avait rendues floues, poétiques – une image de toute beauté. Je me suis laissée happer par elle, et je n'ai pas remarqué que mon père s'était arrêté au carrefour, face à l'église. Il attendait que j'aille acheter mon Lexomil à la pharmacie de garde. Depuis combien de temps ? Rien dans son visage ne l'indiquait, mais on aurait dit qu'il commençait à avoir un peu de peine pour moi. Il avait baissé sa vitre, allumé une cigarette, changé la fréquence de la radio, et je sentais bien que tous ces gestes ne visaient qu'à chasser le malaise qu'il ressentait à me voir comme ça, aussi mal, seulement comme je ne bougeais pas, celui-ci augmentait encore et finalement, pour sortir de cette spirale il n'a rien trouvé d'autre à dire que cette chose terrible qui pourtant, de son point de vue, était très gentille :

– J'ignore qui est ce nouveau type dans ta vie, mais en tout cas, ça te va très bien. Tu as minci, tu es jolie ; tâche de ne pas reprendre de poids, ce serait dommage.

– Tu te trompes, ai-je rétorqué. Tu le connais.

– Comment ça, je le connais ?! Personnellement, tu veux dire ?

– Non, mais tu le lis chaque semaine. C'est Benoît Parent.

Mon père a eu l'air de se prendre un coup, j'ai même eu l'impression que sous l'effet de l'impact il s'était déporté de quelques centimètres vers sa portière et, avec une désolation dans la voix que je ne lui avais jamais entendue, il a répété :

– Benoît Parent ? Non mais tu es devenue folle, ou quoi ? Ce vieux, là ? Cet adipeux qui ne peut pas nous voir ? Tu le sais, ça, au moins ? Tu l'as compris, qu'il ne pouvait pas nous voir ?

143

Je n'ai rien répondu. Je regrettais de m'être confiée.

Mon père m'a dévisagée un long moment, comme si j'avais pris de la drogue ou volé une voiture, comme si je n'appartenais plus au même monde que le sien, puis il a dit :

– Tu as tout pris de leur côté, en fait. Tu as hérité de leur folie.

Il parlait de la famille de ma mère, et de ma grand-mère Dorit en particulier, qu'il avait toujours détestée. Toujours traitée de folle, de tordue, de névrosée, notamment parce qu'elle écrivait.

– Je l'ai compris le jour où tu es rentrée de pension, a encore dit mon père, et que tu as déposé devant moi un texte de trois cents pages dactylographiées. Tu l'avais écrit la nuit, entre les vacances de la Toussaint et Noël. Tu t'en souviens ?

– Très bien.

– J'ai commencé à te lire le soir même. Ça parlait de ta mère et moi, et c'était d'une telle violence que j'ai passé la moitié de la nuit à dégueuler. Je n'arrivais pas à comprendre comment de telles horreurs pouvaient sortir de ton crâne. Et à chacun de tes livres, je ne comprends toujours pas, d'ailleurs. Au fond, il n'y a que celui que tu as écrit sur moi qui ne soit pas totalement dépourvu d'amour. Mais ce n'est pas ta faute. C'est dans tes gènes, tu ne peux rien y faire.

– Dans mes gènes ?

– Ma pauvre chérie. Tu prends le même chemin que ta grand-mère avec son Dumontet, et le pire, c'est que tu ne t'en rends même pas compte.

– C'est qui Dumontet ?

– C'est qui Dumontet ?!!! Tu devrais regarder *Portier de nuit*, avec Charlotte Rampling, ça te donnera une petite idée.

– *Portier de nuit*, c'est ce film où elle retrouve, après la guerre, le bourreau nazi avec qui elle a eu une histoire dans les camps ?

– Exactement.

– Qu'est-ce que tu es en train de me dire ? Que Dorit a eu une histoire avec un nazi ?

– Je te dis qu'elle était folle, qu'elle était attirée par le mal comme on est happé par le vide, et une fois happé, c'est fini, y a plus moyen de s'en sortir. Plus moyen, tu entends ? Même pas par l'écriture, contrairement à ce que tu t'imagines, madame-la-plus-forte.

– Mais c'est qui ce Dumontet ? Dis-moi, s'il te plaît.

– C'est personne. Une autre fois. On ne parle pas de ça à une heure du matin dans une bagnole. Je te demande juste une chose, arrête de voir ton Parent, c'est un sale type, parce qu'il n'y a pas que la grande histoire qui se répète. Les histoires de famille aussi, et celle du côté de ta mère, elle n'a produit que du malheur.

Du malheur.

Le mot a résonné à mes oreilles et je suis sortie, chancelante, de la voiture. Je ne suis pas rentrée dans la pharmacie, comme j'aurais dû, mais je l'ai dépassée, j'ai emprunté la rue Bonaparte, traversé la rue du Four, et marché sans me retourner jusqu'à la place Saint-Sulpice. Il bruinait encore. Bientôt, mes cheveux et mes vêtements seraient trempés mais tant mieux, j'aurais voulu que des trombes me tombent dessus, *toute l'eau du ciel*, et ça n'aurait pas encore été assez pour me laver de cette confidence sur ma grand-mère qui, je le savais, m'empoisonnerait pendant des semaines. Mon téléphone a tremblé contre ma hanche. Sans doute mon père qui devait se demander ce que je fabriquais. Qui d'autre ? J'ai laissé sonner, je me suis enfoncée dans la petite rue Servandoni puis j'ai longé le Sénat en direction de la rue de Médicis, et durant tout ce trajet je me suis demandé si au fond mon père n'avait pas un peu raison, si la fille qui avait fondu les plombs pour Benoît Parent, cette fille qui n'avait rien à voir avec la femme, l'épouse, la mère et même l'amante que je pouvais être, n'était pas ce qui me restait de Dorit. Car au fond, peut-être portons-nous tous nos aïeux en nous, et il suffit d'un événement insignifiant pour les ressusciter. Pour qu'ils prennent le pas sur ce que de haute lutte nous avons réussi à préserver de toute influence, la part vierge, en quelque sorte, de notre identité, celle née de l'expérience, des rencontres, de ce qui ne se transmet pas mais se vit, et dont je mesurais ce soir-là la grande fragilité. Je n'avais pourtant pas marché ailleurs que dans les pas des miens puisque j'avais choisi d'écrire, *comme Dorit*. Mais je ne me l'étais jamais formulé en ces termes. Non, jamais je n'avais considéré cette envie, ce besoin, ce rêve même, comme un héritage, mais au contraire comme l'expression de ma singularité, et il avait fallu cette rencontre malheureuse avec Benoît Parent pour qu'à travers le regard de mon père j'en prenne enfin conscience. Mon père, ou plutôt le livre puis le film que j'avais écrits sur lui et à cause desquels ma route avait croisé celle de cet homme si toxique… J'étais chez moi maintenant, par terre au pied du canapé dans le salon éteint, et je tentais de chercher un sens à tout cela. Il me semblait qu'il ne pouvait pas ne pas y en avoir. L'ombre des branches du marronnier dansait sur le parquet, sur la table basse, et je me sentais tellement triste. En vérité, je l'étais depuis la publication d'*Un vrai salaud*. J'avais pourtant pensé que ce nouveau projet marquerait le début d'une période heureuse. J'étais sortie lessivée de plusieurs années à travailler sur la question de l'antisémitisme. Je me sentais constamment angoissée. J'étais devenue maussade, pessimiste, paranoïaque et, si j'avais décidé de me lancer dans ce roman très intime sur mon père et que j'avais arrêté d'intervenir dans les lycées, c'était précisément pour en finir avec tout cela. Pour ne plus être confrontée à aucune forme de violence, seulement maintenant je le sais, celle que me renvoyait la haine des juifs n'était rien comparée à celle qu'aura déclenché *Un vrai salaud*, car il n'y a pas de violence plus grande que d'aller fouiller en soi. Non, pas de violence plus grande.

La foule, compacte et silencieuse, s'était massée sur un rond-point au milieu des tombes. Elle ressemblait à une marée noire. Elle en avait la couleur, la consistance et, à mesure qu'elle enflait, débordait de manière inexorable dans les allées en étoile qui menaient aux quatre coins du cimetière. Ce jour-là à Montparnasse, le dernier jour de mars, il faisait un temps de sports d'hiver. Le ciel était d'un bleu liquide, sans tache, le soleil bas mais éclatant, et l'air sec et tranchant comme la lame d'un couteau de cuisine. Il brûlait l'iris, nous donnait déjà à tous des larmes dans les yeux. Pourtant, la cérémonie n'avait pas encore commencé. On ne voyait aucun corbillard à l'horizon, ni la petite mère, ni les femmes, ni les enfants, seulement quelques visages célèbres ou familiers qui, telles des couleurs vives, se détachaient du reste. J'ai aperçu la Première dame. Reconnu Jean Rochefort, Michel Piccoli, Danièle Thompson qui embrassait l'écrivain Patrick Besson, et la voix d'une comédienne juste derrière moi, en robe Alaïa et talons tout crottés qu'elle ne remettrait jamais plus. Les filles de la production étaient là aussi, bien sûr. Au milieu des bavardages, elles s'accrochaient les unes aux autres, formaient une chaîne, ou plutôt une sorte d'essaim – on aurait dit les perles d'un collier qui venait de se rompre, ramassées dans le creux d'une main. L'une d'entre elles m'a adressé un petit signe de tête, et Adam m'a demandé qui elle était. Il était rentré la veille au soir. Il avait écourté son séjour à Madrid pour pouvoir assister aux obsèques de Claude, qu'il adorait, mais il m'en voulait toujours. Il était froid et distant, et je ne savais pas comment me faire pardonner ma lamentable attitude chez mon frère le premier soir de Pessah, sinon en profitant du froid et de mon chagrin pour me serrer tout contre lui.

Le cortège a fini par s'ébranler. Je me suis agrippée à son bras, et m'est revenu alors le souvenir de notre mariage qui nous avait vus remonter la travée exactement de la même manière pour sortir de la synagogue. Oui, c'était ainsi que nous avions commencé notre vie commune, Adam fier et rond et fort comme un gros C, et moi accrochée à lui comme une fragile petite cédille, et cette image du *meilleur* à laquelle répondait maintenant la version *pour le pire* m'a fait réaliser qu'on se mariait aussi et peut-être même surtout pour cela, affronter à deux la perte des êtres chers. La marche a ralenti puis s'est arrêtée tout à fait. À l'avant, le corbillard poursuivait pourtant son chemin mais nous étions trop nombreux à le suivre, ça coinçait sans cesse, et les tombes qui bordaient l'allée nous étranglaient. Il y eut une bousculade. J'ai perdu le bras d'Adam. Sa silhouette a dérivé sur ma droite, disparu derrière un homme plus grand, dérivé encore et bientôt, je ne l'ai plus vue. Un peu affolée, j'ai dit à la fille à mes côtés :

– J'ai perdu mon mari.

Cette grande fille brune au visage d'oiseau que je n'oublierai jamais m'a regardée d'un air étrange, navré. Et, comme si elle avait tout su de ma vie, elle a dit :

– J'espère que vous allez le retrouver.

Je suis aussitôt sortie du cortège. J'ai marché entre les tombes jusqu'à sa tête, puis rejoint les fossoyeurs qui, à l'écart du caveau, fumaient appuyés sur leur grand râteau – ce serait encore de là qu'on verrait le mieux. Je n'ai pourtant vu que la dernière compagne de Claude, silhouette gracile sanglée dans un imperméable beige au premier rang, entourée de la famille, des ex-femmes, des enfants, mais ô combien seule pour supporter sa peine. Cette fille avait sensiblement mon âge et je ne pouvais pas m'empêcher de m'identifier à elle. Mon chagrin n'était pourtant pas comparable au sien, mais je me sentais tout de même amputée de quelque chose, de la possibilité d'avoir encore le

151

cœur qui battait pour un homme à laquelle Benoît m'avait fait croire, et j'aurais voulu, comme elle, porter le deuil.

Une voix au micro a percé le silence. J'ai détourné mon regard vers le parterre de tombes sur ma droite, et c'est à ce moment-là que je l'ai vu.

Oui, c'était bien lui.

Il était là, à quelques mètres, en solitaire à la lisière de l'assemblée. Il se tenait droit, les mains croisées dans le dos, et il me regardait.

Et il me souriait.

Benoît ne savait pourtant pas sourire. Il se for-çait toujours, il exagérait, comme un enfant qui n'a pas envie de poser pour la photo, et c'était d'ailleurs la première chose qui chez lui m'avait séduite. Je lui ai demandé du bout des lèvres ce qu'il faisait là, à l'enterrement de Claude ! Il a levé les yeux au ciel, *n'importe quoi*. Il le connaissait depuis plus de trente ans. Il avait travaillé avec lui sur plusieurs films mais, sous l'effet de la surprise, je l'avais oublié. Et maintenant, il murmurait autre chose. Quoi, je n'en savais rien. Il se tenait trop loin pour que je parvienne à lire sur ses lèvres, et je l'ai prié d'arrêter de faire de grands gestes, de se taire, de disparaître, j'allais finir par avoir un fou rire à force, quel imbécile, mais il conti-nuait, évidemment. Il me montrait son alliance et il levait son pouce avec ostentation, comme pour dire *victoire, génial, super*. Qu'est-ce que tout cela

signifiait ? Qu'est-ce qui était *super* ? Rien, visiblement, puisque à plusieurs reprises il a levé deux
doigts mais les a rabaissés aussitôt, m'expliquant
ainsi que ce n'était pas *deux* non plus le mot qu'il
tentait de me faire entendre, et si ce n'était pas
deux alors c'était forcément *un*, oui, *un* comme
son pouce tendu vers le ciel, mais *un* quoi ? Un
mariage ? Un homme ? *Le*, a-t-il dit en articulant
comme un malade, *le* – pouce – *homme*, mais tu es
bête ou quoi ?!!! Et alors que le fils de Claude nous
demandait de chanter avec lui, tout à coup, tout
s'est éclairci, c'était le premier homme, bien sûr,
est-ce qu'Adam, le premier homme, est avec toi ?
   – Mais t'es vraiment con !

J'avais une voix de casserole et je détestais chanter mais pour une fois j'ai essayé tout de même, du
bout des lèvres, tandis que quelqu'un quelque part
s'était mis à la guitare. Il faisait toujours aussi froid.
Des larmes coulaient sur les joues des filles et j'ai
demandé pardon à Claude d'être si peu concentrée.
Claude n'aurait pas du tout aimé cette histoire. À
cause d'Adam bien sûr, mais surtout à cause de
Benoît. Il m'aurait dit *c'est un sale type*. Pire, un
p'tit mec. Sans parole ni courage. Sans panache. Il
m'aurait dit *moi, j'ai arrêté de travailler avec lui
parce qu'il m'a trahi, je lui ai commandé un scénario pour qu'il file un prix au livre dont j'avais
les droits d'adaptation, il a encaissé le chèque, mais
il n'a ni écrit ni filé le prix, je le connais bien, tu*

sais. Il ne te lâchera pas. Trop flatteur pour lui de plaire à une fille comme toi, mais ne te fais aucune illusion, il ne t'emmènera nulle part, pas même au bout de ta rue. Il ne prendra aucun risque. Ce n'est pas un héros de roman, c'est un parvenu en mal de reconnaissance, il n'y a que le fric ou un siège à l'Académie qui puisse le faire courir. Et avec mon humour débile, j'aurais répondu à Claude *mais j'en ai, moi ! J'en ai plein, de fric, maintenant que je suis réconciliée avec mon père,* ce que mon père m'avait toujours dit sans pourtant rien me donner. Claude aurait alors recraché bruyamment la fumée de sa cigarette, écrasé son mégot en faisant voleter le tison, puis il se serait penché vers moi au point de coucher son buste sur la table et il m'aurait dit :

Bon. Ok. Très bien. Vas-y. Fonce. De toute façon, t'y es jusqu'au cou, tu ne pourras pas aller contre. Mais n'oublie jamais qu'il veut ta peau. Il veut te voir à terre, mon chéri, c'est la seule chose qui puisse encore le faire bander. Il ne cessera pas te rabaisser. Il fera le vide autour de toi. T'isolera d'Adam, de tes enfants, de tes amis, mais ce n'est pas très grave, quand tu auras bien touché le fond, tu remonteras à la surface et tu en feras un roman, n'est-ce pas ? Je les connais, les filles comme toi, elles font toujours des romans de leur chagrin, même celles qui n'écrivent pas. J'espère au moins que tu écriras la scène de mon enterrement.

Je suis comme les gosses, tu sais, j'aimerais savoir qui pleurera vraiment.

Tes enfants, Claude. Les femmes qui t'ont aimé. Tes vrais amis, aussi, mais ils n'étaient pas si nombreux, tu avais raison, et puis tous ceux et celles dont tu as produit les films et qui ne savaient pas comment ils feraient désormais sans toi. À côté d'eux, Benoît m'a à nouveau adressé son sourire d'enfant qui se force. J'adorais ce type. C'était idiot, n'est-ce pas ? Idiot comme la mort de Claude, mais c'était ainsi.

Les fossoyeurs ont fait glisser le cercueil au fond du caveau et il y a eu un bruit sourd au moment où le bois est venu heurter les parois. Je n'avais toujours pas retrouvé Adam parmi la foule. Beaucoup de gens s'étaient mis en ligne, surtout des filles qui portaient des talons, et cela m'a fait penser à la première scène de *L'homme qui aimait les femmes*, de Truffaut, où l'on ne voit que des paires de jambes défiler devant la fosse. Ce titre allait si bien à Claude... Je me suis glissée dans la queue. Je voulais jeter sur le cercueil la lettre que Léa lui avait écrite, puis m'en aller au plus vite. L'idée de pouvoir me retrouver coincée entre Adam et Benoît et de n'avoir pas d'autre choix que de les présenter me paniquait. Mais la file n'avançait pas, et j'ai entendu une voix derrière moi qui m'avait rattrapée :

— Il est là ou pas ?

C'était la voix de Benoît.

Je me suis retournée. Je devais ressembler à un petit animal terrifié car il a dit :

– Ben quoi ? On peut tout de même se dire bonjour !

– Bonjour.

– Alors ? Là ou pas là, *le premier homme* ?

– Là, mais je l'ai perdu.

Et au moment où j'ai prononcé cette phrase, Adam est entré dans le champ, juste derrière Benoît.

– Mais t'étais passée où ?! Ça fait deux plombes que je te cherche.

Benoît a souri puis s'est écarté et ils se sont retrouvés face à face, moi au milieu.

– Là, j'ai dit. J'étais juste là... Je te présente... Benoît Parent, Adam, mon mari.

– Ah, le mari ! s'est exclamé Benoît, ravi de vous rencontrer. Votre femme a fait un très beau film, vous pouvez être fier.

– Je le suis.

– Bon, j'ai dit en attrapant le bras d'Adam, j'ai froid, on avance ?

– Oui, avançons, a répondu Benoît avec un sourire affreusement aimable comme si c'était à lui que je m'adressais, et se tournant vers Adam :

– Alors, il paraît que vous êtes cardiologue ? J'ai des problèmes de cœur, il faut que je vienne vous voir.

Le mien a semblé s'arrêter net. Je ne pouvais plus déglutir, plus faire un geste. J'avais juste envie de vomir.

– Vieux, a corrigé Adam. Je suis un *vieux* cardiologue.

Cette allusion à son article n'a pas échappé à Benoît, bien sûr, et cela a dû tellement lui faire plaisir de constater qu'un type auquel il espérait piquer sa femme était assez con pour le lire... J'en ai voulu à Adam de ne pas l'avoir compris.

– Oh, vieux, vieux, a tempéré Benoît, moins vieux que moi, je crois. Et puis dans ce domaine, l'âge est un avantage, n'est-ce pas ? Quand on confie son cœur à quelqu'un, mieux vaut qu'il ait de l'expérience. Un peu d'expérience.

Il avait dit le *un peu d'expérience* un ton audessous du reste, en ne regardant que moi, et avec toujours ce sourire sadique qu'ont les enfants quand ils arrachent les ailes des insectes. Il était fou. Il n'avait pas de limites. On aurait dit une grenade dégoupillée qui pouvait à tout instant nous péter au visage.

Grâce au ciel, mon tour est enfin venu de jeter des poignées de terre sur le cercueil, ce que j'ai fait, quand, dans mon dos, Adam a dit :

– Tenez, prenez ma carte.

J'ai cru que je rêvais. Pourtant, l'instant d'après, j'ai bien vu le petit rectangle blanc sur lequel était inscrit le nom, la fonction et le numéro de téléphone de mon mari passer de son portefeuille à celui de Benoît, et je me suis retenue de ne pas sauter dessus. J'étais toujours aussi pétrifiée. Et en même temps furieuse. Pourquoi Adam lui donnait-il sa carte ? Qu'espérait-il ? Qu'il vienne le voir et qu'il puisse, en toute liberté, lui poser toutes les questions qu'il voulait ? L'interroger sur la nature de notre relation ? Sur la fréquence et le lieu de nos rencontres ? Ou pire, l'empêcher de me revoir ? Le menacer s'il n'obtempérait pas ? J'aurais répondu à toutes les questions d'Adam si seulement il avait eu le courage de me les poser directement, mais cette façon de me « contourner » ne m'inspirait que du mépris et, les laissant tous les deux pour aller embrasser Cécile qui recevait, à quelques mètres de là, ses condoléances, je ne lui exprimais pas autre chose – un vrai, lourd et profond mépris. Pourtant, Adam avait fait preuve de beaucoup de courage en donnant sa carte à Benoît. Il lui avait signifié qu'il n'avait pas peur de lui ; pas peur de ce qu'il pourrait lui apprendre sur mon compte, et que l'amour qu'il me portait était si solide qu'aucun aveu ne réussirait à l'abîmer. Mais j'avais, moi, bien trop peur de moi pour le comprendre.

Cécile avait dû ingurgiter beaucoup de médicaments. Elle avait toujours aux lèvres ce sourire
raide, déchirant, ces yeux absents, et je ne sais
même pas si elle savait encore qui j'étais lorsque
je l'ai serrée dans mes bras. Elle m'a demandé,
mécanique, si je venais au déjeuner organisé chez
elle. J'ai dit *oui, bien sûr*, et Adam qui avait abandonné Benoît devant le caveau pour me rejoindre
a acquiescé lui aussi. J'ai alors entendu mon portable biper dans la poche de mon manteau. C'était
Benoît qui me demandait de le retrouver dès que
possible *division 22, section 22.*

Cette adrénaline.

Ce pouvoir que ses mots avaient sur moi.

Il devait les agencer de manière satanique, je
ne voyais pas d'autre explication possible ! J'ai
prié pour qu'Adam, à mes côtés, ne se rende pas
compte de l'agitation qui m'habitait, pianotant ma
réponse avec le plus de désinvolture possible, mais

pianotant tout de même sous ses yeux car j'avais trop besoin de savoir :

« *C'est la tombe de qui ?* »

« *T'occupe. Je te donnerai un baiser* », a répondu Benoît aussi sec.

Adam a dit alors :

– Bon, on va boire un café ?

Et je ne sais pas ce qui m'a pris, mais je lui ai demandé pourquoi.

– Comment ça, pourquoi ?! s'est-il agacé. On va toujours prendre un café après un enterrement, tu le sais très bien ! Il faut te laver les mains, boire quelque chose, tu ne vas pas aller directement chez Cécile, ça porte malheur.

Bien sûr que je le savais. J'avais entendu cette rengaine toute mon enfance, qui disait que les gens venant de mourir aimaient encore trop la vie et que si vous ne les laissiez pas au café, ils ne vous lâchaient plus, vous collaient à la peau et, un beau matin, vous emportaient. Oui, je savais tout cela, mais je savais aussi qu'un baiser m'attendait division 22, section 22, et c'était plus fort qu'un café.

– Je voudrais passer voir ma mère, ai-je dit avec aplomb, honte sur moi. Ça fait longtemps que je ne suis pas allée sur sa tombe. Tu avances et je te rejoins ?

J'ai vu le visage d'Adam s'affaisser et son regard perdre toute assurance, comme si tout à coup il ne savait plus, comme si le monde lui-même avait perdu son centre de gravité et, d'une voix qui m'a donné envie de pleurer, il a dit :

— Est-ce que tu es encore heureuse avec moi ?

— Oui...

— Tu es sûre ?

— Mais oui, enfin, arrête... Pourquoi tu me demandes ça ?

— Parce que j'ai besoin de l'entendre. Si tu n'es plus heureuse, ça ne sert à rien.

Il fallait répondre sans réfléchir. Sans se poser de questions. Il fallait regarder Adam dans les yeux et lui dire *oui, Adam, je suis encore heureuse avec toi*, parce que certaines paroles sont prophétiques, parce que nommer les choses les rend vraies – *tout est verbe*, n'était-ce pas ce que l'on m'avait enseigné ? – et cela tombait bien car je n'avais qu'un seul souhait, que notre histoire continue d'avancer. Cela signifiait donc que j'aimais toujours mon mari, et notre couple plus fort encore. Or, si *j'aimais* qu'est-ce que je risquais ? Rien ! Je pouvais, légère, aller chercher mon baiser.

*

Division 22, section 22. À quelle sépulture pouvait bien correspondre ce repère ? Sartre, Beauvoir, Beckett, Cioran, Gainsbourg, Oury, Noiret, Kessel, Duras ? Prenant la direction du nord comme indiqué par un gardien, j'ai essayé de me souvenir de quel écrivain, comédien, poète ou cinéaste nous avions bien pu parler au cours de nos échanges, mais je n'ai rien trouvé d'évident, et j'ai continué de braver le froid et le vent sec des allées de cette nécropole qui, avec ses dix-neuf hectares, me donnait vraiment le sentiment d'être une ville dans la ville. Après dix minutes de marche rapide, je suis enfin arrivée à l'autre bout du cimetière puis à l'« adresse » en question, et dans une encoignure du mur d'enceinte côté Raspail, ornant une tombe laissée à l'abandon, j'ai bien aperçu, comme Benoît me l'avait promis, un baiser. *Le Baiser* de Brancusi. Lui était à ses pieds en train de lire.

– Eh ben c'est pas trop tôt, a-t-il dit.

Je me suis approchée, puis assise à ses côtés sous la sculpture qui représentait, dans un bloc de pierre à peine dégrossi, un couple enlacé. Les corps de cet homme et de cette femme se touchaient complètement. Ils étaient scellés ensemble. De profil, leurs bouches formaient un trait d'union, leurs bras paraissaient infinis pour se serrer l'un l'autre, leurs pieds se confondaient presque, et de face, ils n'étaient qu'une même anatomie, à peine séparée par une ligne médiane que l'érosion du temps avait fini par gommer légèrement. Leur union avait la densité de la matière, et rien ne semblait pouvoir ébranler leur amour. Avec ce *Baiser*, Brancusi avait livré la meilleure définition du couple – ou plutôt de ce qu'un couple devrait toujours être.

– On t'a déjà donné un baiser pareil ? a dit Benoît en refermant énergiquement son livre, un pavé de Jacques Laurent.

J'ai dit *non*, et dans un geste qui m'a semblé d'une audace folle, j'ai embrassé sa joue. Il a paru horriblement gêné, on aurait dit un adolescent, puis il a ôté ses lunettes et les a essuyées avec le bas de sa chemise, et cela m'a rappelé un vieux principe de collégienne : ne jamais sortir avec un garçon à lunettes. Ces garçons-là ont toujours peur de la buée sur leurs verres, et quand ils s'en séparent, ils voient le monde flou et paniquent – ils ne peuvent pas bien vous embrasser. Benoît a remis les siennes et m'a appris que Brancusi avait réalisé cette œuvre en 1907, suite à une commande pour décorer le monument funéraire d'une jeune Russe qui s'était suicidée par amour. Elle s'appelait Tatiana Rachewskaïa. Un portrait d'elle en médaillon figurait sur sa stèle que nous avions dans le dos, et je me suis retournée pour le voir. La photographie était en noir et blanc. Elle donnait l'image d'une jeune fille mélancolique, avec un grand chapeau de paille et des yeux affreusement tristes, et je me suis dit un instant qu'elle aurait pu être ma grand-mère Dorit, russe elle aussi, arrivée en France en 1936 pour fuir les pogroms et comme cette fille, morte de chagrin vingt-cinq ans plus tard, en 1961. J'avais toujours cru, conformément à la version familiale officielle, que c'était parce qu'elle ne s'était pas remise du fait que son mari, Chaskiel, n'était pas rentré des camps, mais assise là sur cette tombe, sur les os de cette femme que la passion avait tuée, les mots prononcés par mon père dans sa voiture le soir de Pessah ont pris tout leur sens : le malheur, c'était le suicide, évidemment. Oui, ma grand-mère Dorit s'était suicidée à cause d'un salaud qui se nommait donc Dumontet, maintenant je connaissais son nom, et très naturellement, comme si c'était un fait avéré, un fait qu'on avait toujours assumé autour de moi, je me suis entendue le dire à Benoît.

— Mais Dumontet, je connais ! s'est-il écrié. C'était plutôt un bon écrivain. Et il n'était pas du tout collabo. On l'a emmerdé après la guerre parce qu'il avait écrit pour *L'Action française* et dans *Le Téméraire*, mais il ne signait que des critiques littéraires, le pauvre. Il ne faisait pas du tout de propagande. Il se foutait des idées du Reich, la seule chose qui l'intéressait, c'était le style. Bien sûr, il avait une passion pour Wagner. Si je tombe sur un de ses romans sur les quais, ce qui ne m'est pas arrivé plus d'une ou deux fois en quarante ans, je te le prendrai.

Je l'en ai remercié, puis Benoît a dit que lui, cette tombe lui rappelait une scène beaucoup plus triviale tirée d'un livre où l'auteur racontait comment au pied de ce *Baiser* il s'était fait branler par sa petite copine de l'époque, puis comment il se revoyait encore, des années après, éjaculer *une colonne de foutre sans fin* dans un ciel gris – oh, le gros prétentieux ! Il parlait du journal de Marc-Édouard Nabe qu'il m'avait offert la semaine précédente, parce que je lui avais dit que je ne voulais plus lire ce type. Nabe était un écrivain qui avait vomi son antisémitisme dans trop de ses livres et avec lequel je m'étais retrouvée, un an plus tôt, sur le plateau de Taddeï, dans une émission consacrée à l'interdiction du spectacle de Dieudonné pour incitation à la haine raciale. Malheureusement, personne ne m'avait prévenue de sa présence ni permis de débattre avec lui, ce que j'avais beaucoup regretté car, sans contradicteur, cet esprit malin avait réussi, par une simple pirouette lexicologique, à balayer l'antisémitisme de Dieudonné sans même avoir à le minimiser ou à le nier, ce qui lui aurait valu d'être vilipendé pour cela, mais en affirmant que ce qui était beaucoup plus grave aujourd'hui, c'était le *conspirationnisme*. Il entendait par là le travail effectué par certains pour saper la vérité de faits historiques avérés, comme si ceux qui niaient l'existence des chambres à gaz n'étaient pas avant tout animés par la haine des juifs... Et cette haine que l'écrivain avait exprimée noir sur blanc dans son œuvre, Taddeï n'avait pas cru bon de lui demander s'il l'éprouvait toujours. Je n'avais pas compris ce silence. Cette désinformation par omission des spectateurs, car ils étaient deux millions et demi ce soir-là devant leur poste, et combien parmi eux savaient vraiment qui était Marc-Édouard Nabe ? Connaissaient ce qu'il avait

165

écrit dans *Au régal des vermines* ? Ma langue brûlait de le rappeler, mais je n'avais pas pu prendre la parole, Taddeï s'étant subitement levé et nous ayant tous abandonnés, nous ses huit invités, pour aller interviewer Nabe dans un coin reculé du plateau, là où, de fait, la distance nous musellerait si bien que, sous nos yeux médusés, cet auteur qui malgré sa plume n'arrivait même plus à trouver d'éditeur tant ce qu'il avait écrit sur les juifs, les Noirs et les homosexuels était abject, avait réussi l'hallucinant exploit d'incarner, en direct et devant des millions de Français, une sorte de ministère moral sur la question de l'antisémitisme, *la* personne qui pouvait dire si, oui ou non, le spectacle de Dieudonné pouvait légitimement être interdit sur la base de ce délit. Cette émission m'était alors apparue comme une énorme opération de blanchiment de l'écrivain sur le dos de l'humoriste et de sa tête pensante Alain Soral, avec qui j'avais pourtant vu Nabe, dix ans plus tôt, traîner tard le soir, à La Closerie des Lilas. Pourquoi Taddeï faisait-il un tel cadeau à ce type-là ? Non pas celui de l'inviter – il avait reçu bien pire sur son plateau – mais de lui offrir un tête-à-tête qui nous privait de le confronter à ses vieux démons ? J'avais beau observer le visage poudré de l'écrivain dans l'écran de contrôle qui se trouvait à mes pieds, quelque chose m'échappait dans ce dispositif, et lorsque Taddeï avait repris sa place parmi nous, je n'avais pas résisté à l'envie de lui demander quelle était sa responsabilité dans le fait d'inviter depuis dix ans, et *dans ces conditions-là*, des antisémites notoires. Le journaliste m'avait alors répondu que Nabe n'avait jamais été condamné – comme si un million de procès lui étaient déjà tombés dessus ! – mais il s'était bien gardé de me révéler, en direct sur cette chaîne du service public, que l'écrivain était aussi, et peut-être surtout, le parrain de son enfant.

Je l'avais appris par Benoît qui m'avait dit *et alors, qu'est-ce que ça change ? Nabe a bien le droit d'écrire ce qu'il veut sur les juifs et sur le reste, ce n'est pas un homme politique, à ce que je sache. Ce n'est pas un leader d'opinion, ni même un essayiste qui nous décrirait le monde et nous proposerait en cinq points de le changer – c'est un écrivain. Et les écrivains sont libres, bordel, libres et irresponsables, sinon quoi ? On brûlerait Céline, Rebatet, Morand, Chardonne, mon cher Drieu ? Tous les grands écrivains français sont des écrivains de droite, dis-toi bien cela, et si tu ne l'as pas compris, arrête tout de suite et va faire des articles pour* Gala, *au moins tu seras invitée aux soldes presse, ça te fera faire des économies.* Benoît m'avait dit aussi qu'après la Libération des femmes (qu'il regrettait, il faut bien le dire), « le coming-out de tous ces pédérastes » et l'hyper-sexualisation de la société, la dernière manière, pour un esprit libre, de rester subversif était d'être antisémite, voilà pourquoi Nabe l'était. Je lui avais demandé s'il ne se foutait pas de moi. Il m'avait alors répondu, plein de mépris, que je ne valais pas mieux que tous ces veaux bien-pensants prêts à lyncher un écrivain pour trois mots malheureux, mais qui, lorsque des petites « racailles de banlieue » se réclamant de l'islam faisaient péter une école juive ou une épicerie casher, n'avaient qu'un seul mot à la bouche : *ne faisons pas d'amalgame.* Je n'avais pas su vraiment lui donner tort, sinon en lui disant que nous n'étions plus dans les années 1980 et que, pour être subversif, mieux valait se faire taxer d'islamophobie comme Houellebecq que d'antisémitisme – *L'Enculé*, le dernier livre de Nabe sur l'affaire DSK, en était la meilleure preuve : il avait traité Anne Sinclair de *grande gueule de sioniste de gauche caviar* et cela n'avait choqué personne.

– Arrête un peu de regarder cette suicidée, a dit Benoît, tu vas finir par attraper sa mélancolie. Et raconte-moi. Comment va la vie ? Des nouvelles de notre rabbin ?

C'était ainsi que Benoît appelait Pierre Lévy, le producteur qui nous avait présentés au Café Mode. Pierre n'avait pourtant rien d'un religieux mais un nom et un visage suffisamment typés pour que dans son esprit, Benoît le voit peut-être avec des papillotes et un schtreimel sur la tête – son humour de goy.

– Pierre va très bien, ai-je dit, on s'est croisés l'autre soir dans un restaurant, il m'a annoncé que le film qu'il portait à bout de bras depuis trois ans se tournait enfin.

– Ah, tant mieux, a répondu Benoît. Moi, il ne m'appelle plus. Il doit regretter de nous avoir mariés. Et d'ailleurs, qu'as-tu fait du vrai mari ?

– Il est parti chez Cécile. J'ai dit que je le rejoignais.

– Tu as menti, c'est moche. Tu devrais appeler pour le prévenir que tu ne viendras pas. Un peu de respect, quand même, c'est encore ton mari.

– Mais je vais y aller, qu'est-ce que tu crois ? Je vais le rejoindre.

– Tu sais bien que non puisque nous allons passer la soirée ensemble. Le pauvre, il va souffrir.

– Tu peux arrêter de me parler de lui, s'il te plaît ?

– Ah, c'est tellement féminin comme attitude ! On aime et puis plus, voilà. On tire un trait et on ne veut surtout pas savoir le mal qu'on fait. Eh bien sache qu'il va souffrir à peu près dix ans, ton gentil mari cardiologue, c'est le tarif moyen pour un chagrin d'amour, et crois-moi, je n'en tire aucune gloire personnelle, je trouve ça même assez dégueulasse parce que qui mérite ça ? Non, c'est vrai, qui mérite d'avoir envie de se jeter par la fenêtre tous les matins pendant dix ans ? Certainement pas lui qui a dû, en plus, sauver des tas de vies, mais que veux-tu ? La souffrance, c'est comme ça ; c'est très injuste et c'est chacun son tour.

– Bon, maintenant ça suffit, je m'en vais, ai-je dit, mais Benoît m'a attrapé le bras et m'a fait me rasseoir sur la tombe.

C'était la première fois qu'il me touchait vraiment. Il me serrait fort. Il me faisait mal.

– Je t'interdis d'aller voir Adam, ai-je dit entre mes dents. Je veux que tu me rendes sa carte.

– Moi, je veux qu'on aille à l'hôtel.

– Rends-moi cette putain de carte, je te dis.

– Eh oh, tout doux... Pourquoi tu t'énerves comme ça ? Pourquoi t'as peur ? Tu crois vraiment que je vais aller voir ton-gentil-mari-cardiologue-qui-va-souffrir-pendant-dix-ans-parce-que-tu-ne-l'aimes-plus-et-que-tu-vas-le-quitter-pour-moi ? Tu crois que je suis une ordure à ce point ? Avec les femmes, peut-être, mais pas avec les hommes, enfin ! J'ai le sens de la solidarité masculine. Allez, vas-y, quoi... T'as le droit de rire un peu, c'est gratuit ! Allez, vas-y, rigole, on m'a dit que les juifs avaient de l'humour, tu n'as pas d'humour ? Ou alors peut-être que tu n'es pas juive ? Oui, qui sait, peut-être que tu m'as menti sur tes origines... Je serais très déçu, tu sais, parce que moi, je les aime beaucoup, les juives.

– Arrête ça.

– Quoi, c'est vrai, j'aime beaucoup les juives.

– Ferme-la, je te dis.

– Mais pourquoi es-tu si grossière ? Tu es folle, qu'est-ce que je t'ai fait ? Pourquoi t'énerves-tu comme ça ? Je t'ai dit que je t'aimais, enfin, tu ne comprends pas le français ? J'ai dit J'AIME LES JUIVES, c'est mal ?! On ne peut pas dire ça ? On ne peut donc vraiment plus rien dire sur ce sujet, ce n'est pas une blague ! Pauvre Desproges, il doit se retourner dans sa tombe...

– Ça, c'est sûr, lui qui se moquait si bien des antisémites.

– Ah parce que c'est antisémite, maintenant, de dire *j'aime les juives* ?! Eh bien, j'assume mon antisémitisme, voilà ! Et je te le dis haut et fort, *oui, j'aime les juives*, oui, je les trouve plus jolies et plus dégourdies au lit que la plupart des goys, c'est comme les aristocrates, qu'est-ce que j'y peux ? Elles ont été élevées pour ça, *aimer leur homme*, tu n'aurais pas un peu de sang noble aussi par hasard ? Allez, arrête de faire cette tête, quoi... Y a pas mort d'homme ! Allez, viens dans mes bras... Viens, je te dis, et regarde comme on est bien, là, tous les deux, au milieu des morts... Tellement mieux que parmi les vivants.

Il était complètement malade. Il me faisait peur. Mais je ne pouvais pas bouger. Je restais scellée à la tombe, suspendue à ses lèvres, fascinée par ce qu'il était capable de me dire. Par son absence de limites. Il disait maintenant :

– Ma petite juive à moi... Tu sais ce que je te demanderais s'il ne faisait pas si froid ? Je te demanderais d'ôter ton chemisier pour voir tes seins. Depuis que je te connais, j'ai envie de les voir. Est-ce que tu sais que j'adore les petits seins ? Et puis j'ai envie de voir ton cul. Oh ça oui, j'ai envie. S'il ne faisait pas si froid, je t'aurais déjà allongée là, vois-tu, sur cette tombe, tes belles fesses face au ciel, et ensuite tu m'aurais gentiment sucé parce que je suis très jaloux que ce bon Nabe ait joui ici et pas moi, oui, très, très jaloux, mais ce n'est pas grave, tu vas le faire à l'hôtel, n'est-ce pas ? Allez viens, chut, surtout tais-toi, ne gâche rien, allons vite à l'hôtel.

Le Lutetia ? Le Bel Ami ? Le Montalembert ?
Le Montalembert, je connais bien la directrice, on
aura une belle chambre, a-t-il dit, mais allez savoir
pourquoi, il s'est arrêté dans la rue Stanislas devant
un petit hôtel du même nom, deux étoiles, dont la
porte vitrée n'était pas plus large que celle d'un
cabinet de toilette et il m'a dit *entre*. La chambre
standard était à quatre-vingt-cinq euros pour deux
personnes, petit-déjeuner inclus. Il m'a demandé
ma carte de crédit. Sur le coup, j'étais tellement
troublée que je n'ai pas bien compris pourquoi,
mais j'ai obéi tout de même, sorti mon portefeuille
et réalisé que ma Visa avait expiré – qu'allait-il
bien pouvoir penser de moi ? Je lui ai donné celle
d'Adam, c'était la seule qui fonctionnait. Sans la
regarder, Benoît l'a tendue au réceptionniste en
précisant que nous resterions pour le week-end.
J'ai compris à ce moment-là seulement que c'était
cet hôtel. Cet hôtel-*là*, pourri, qu'il avait choisi,

173

et qu'il faisait payer à mon mari. Mais je n'ai pas protesté. J'étais trop médusée, complètement sidérée par le fait d'avoir osé donner sa carte et d'être maintenant incapable de la récupérer. Le petit homme au pull en laine, derrière son comptoir, a pris une empreinte au sabot, *à l'ancienne*, et je ne l'en ai pas empêché. Je crois que j'avais le cœur qui battait trop fort. Il nous a demandé ensuite nos passeports et si nous avions des bagages, des questions, une connaissance approximative du quartier, je me suis dit alors que ça ne s'arrêterait jamais, que non, jamais il ne nous laisserait monter, mais au bout d'un moment, je me suis tout de même retrouvée dans cet escalier minuscule, devançant Benoît qui, avec sa tête, s'amusait à me toucher les fesses, et malgré mon absence totale de désir j'ai pensé *c'est bien, c'est très bien, c'est parfait, il faut y aller maintenant, il faut le faire, une fois que ce sera fait, ce sera terminé.*

La chambre se trouvait au troisième étage, sur un palier à peine plus grand qu'une cabine d'ascenseur. Benoît m'a demandé de m'écarter, ce que j'ai fait comme j'ai pu, en me positionnant dans la partie de l'escalier qui montait au quatrième, et il a glissé la clef dans la serrure. La porte s'est ouverte lentement. Depuis ma place, j'ai pu tout de suite avoir une vue d'ensemble, en plongée, de la chambre – ses dimensions, ses couleurs ternes, ses meubles rustiques, et même au-delà, un aperçu de la façade lézardée de la cour aveugle sur laquelle nous donnions ; je ne crois pas qu'on pouvait faire plus sordide.

– Merde, a juré Benoît, j'ai oublié mes médicaments. Il y a une pharmacie juste en bas, tu ne voudrais pas aller me les chercher ?

– Oui, si tu veux.

Il m'a regardée un instant, puis il s'est corrigé :

– Non, en fait, je préfère y aller moi. Je n'ai pas d'ordonnance, il faut que je leur explique. Je reviens tout de suite, d'accord ? Tout de suite, tout de suite ! Déshabille-toi, mets-toi nue sous les draps et attends-moi.

J'ai acquiescé d'un signe de tête. Il avait déjà disparu.

Les premières minutes, je suis restée debout face au lit, parfaitement immobile, à lutter contre cette petite voix qui me disait *tire-toi, allez tire-toi, tire-toi vite, tire-toi avant qu'il ne revienne, quand il sera revenu, tu seras de la baise – ALLEZ TIRE-TOI, BORDEL !* J'avais une peur bleue de ce qu'il allait me faire. De ce qu'il allait me demander. J'étais pétrifiée comme je le suis seulement dans la salle d'attente d'un médecin, les membres raides, la bouche transformée en un désert de pierres, et je n'avais qu'une envie – m'évanouir. Je voulais me soustraire au réel pour ne pas voir, ne pas savoir, pour échapper à toute cette folle tension, mais dans le même temps, une autre voix me disait *non, tiens bon, tu dois en passer par là, tu dois subir cette épreuve, tu n'as pas le choix.* Et cette voix a fini par gagner. J'ai donc lâché mon sac puis je me suis avancée jusqu'à la salle de bains. Le carrelage était du même bleu que le rideau de douche et, dans la baignoire, des taches de calcaire dessinaient des rayons autour de la bonde, ça ne donnait pas très envie. J'ai allumé le néon. Le miroir au-dessus du lavabo était fendu en son milieu, de sorte qu'une grande cicatrice me barrait le visage. J'y ai vu encore un mauvais signe. Cela ne m'a pas empêchée de me déshabiller, puis de me laver vite fait au pommeau de douche avec un de ces savons minuscules qu'on donne dans les hôtels bon marché, puant le liquide vaisselle et rendant la peau si rêche. Mais je préférais ça qu'autre chose. J'avais tellement peur de ne pas être impeccable. J'avais froid, aussi. Je grelottais comme une malade, mes dents claquaient toutes seules, et c'est pour me réchauffer que je me suis vite glissée dans le lit. J'ai alors, pour la première fois, regardé ma montre. Depuis le départ de Benoît, dix minutes s'étaient écoulées. Ce n'était rien, dix minutes, mais il avait dit cinq. Il avait dit *ne bouge pas, attends-moi, dans cinq minutes, je suis là.* J'ai pensé que dix était le double de cinq et je me suis redressée, puis penchée vers l'avant pour, sans me relever, attraper mon sac. Je voulais mon parfum qui était dedans. À toute allure, je m'en suis mis dans le cou, sous les bras, aux poignets et puis sur le sexe, et paniquée à l'idée qu'il entre pile à ce moment-là, qu'il me surprenne en train de faire ce geste ridicule et tellement humiliant parce qu'avec lui tout l'était, j'ai vite, vite rebalancé le flacon dans mon cabas. Mon cœur battait plus fort encore, c'était une horreur. Je me suis concentrée sur le plafond pour me calmer. Il était noir aux angles. Des gens marchaient juste au-dessus. Ou peut-être dans la chambre d'à côté. Les murs étaient si mal insonorisés qu'on entendait tout, les pas, les voix, les chasses d'eau, mais dans un sens, c'était préférable, ça m'occupait l'esprit et ça m'empêchait d'entendre mon cœur. Une cloche a sonné quelque part, il devait être dix-huit heures. J'ai attrapé mon portable. Il était sur silencieux, mais Benoît n'avait laissé aucun message. Pas de texto non plus. J'ai eu envie de l'appeler bien sûr, ça faisait plus d'une heure maintenant qu'il était parti, seulement je ne voulais pas être *lourde*, ni paraître en demande de quoi que ce soit. Je me suis dit qu'il avait sans doute croisé quelqu'un. Une vieille connaissance ou un ministre africain qui avait dû lui proposer un verre à La Rotonde, et auquel il n'avait pas pu dire non – c'étaient des choses qui arrivaient. Il fallait donc le prendre avec légèreté. Il ne fallait pas lui en vouloir, ce n'était pas méchant. Ce n'était pas sa faute ! Et puis peut-être qu'il était en train de me préparer une surprise ; mais oui, peut-être qu'il était allé nous chercher à dîner et qu'à court de batterie, il ne pouvait pas me prévenir… Tout était possible avec lui. Il était si imprévisible.

La nuit a commencé à tomber. J'étais toujours seule. Une boule s'était logée dans ma trachée, un nœud m'enserrait le plexus et je me suis mise à pleurer. C'était à cause de cette heure, entre chien et loup, que je déteste. Une vieille angoisse d'enfant. J'avais envie de partir en courant. J'avais envie d'être chez moi, dans le confort, le luxe, dans tout ce qui rassure, mais j'étais incapable de sortir de ce lit et de marcher dans la rue. La ville, depuis cette chambre misérable, me semblait trop hostile – j'avais déjà perdu toute confiance. Je ne sais plus exactement ce qui s'est passé ensuite. Les choses se mélangent dans ma mémoire, mais je crois que j'ai eu faim et que j'ai appelé la réception. Ou peut-être que c'était le jour suivant, le samedi soir. En tout état de cause, l'hôtel ne proposait pas de service de restauration en chambre, ni même en salle, ce n'était qu'un deux-étoiles, si bien que j'ai demandé à la jeune fille (c'était une jeune fille et non plus un monsieur à la réception, il y avait eu *roulement*) si elle ne pouvait pas m'apporter des aliments du petit-déjeuner, un bout de pain et de la confiture par exemple, et pour la convaincre, j'ai même dit que j'étais souffrante. Elle m'a répondu qu'elle l'aurait fait avec plaisir, seulement elle n'avait pas les clefs de la cuisine, puis elle a ajouté *mais sur le boulevard du Montparnasse, vous trouverez encore plein de sandwicheries ouvertes, et c'est vraiment à deux pas.* Oui, je le savais bien que ce n'était pas loin, mais si Benoît revenait ? S'il revenait pile au moment où j'étais sortie ? Qu'allait-il penser ? Que j'étais partie, évidemment, et il partirait aussi ! Je n'avais pas attendu tout ce temps pour que ça se termine comme ça. D'ailleurs c'est uniquement parce que je l'avais déjà attendu si longtemps que je l'ai attendu encore. L'attendre était devenu une activité comparable à une course. Ou à un régime. C'était un challenge, une sorte de dépassement de soi qu'il me semblait trop bête d'abandonner si près du but, parce que je ne voyais plus le temps passer mais simplement l'heure d'après, et je me disais il va revenir, il va te livrer une histoire à dormir debout mais à un moment ou un autre il va frapper à cette porte et apparaître, ce n'est pas possible autrement, non ce n'est pas possible qu'il t'abandonne ici comme un chien, même à un chien, on ne ferait pas une chose pareille. Et à force de me répéter cela, j'ai passé deux jours toute seule enfermée dans cette chambre d'hôtel. Deux jours toute nue sous ces draps rêches, comme il me l'avait demandé, à l'attendre et à espérer. J'ai espéré jusqu'à la fin qu'il reviendrait. Je n'imaginais pas une seconde qu'il puisse en être autrement, et je suis sûre que si le dimanche midi, le service d'étage n'était pas venu taper à ma porte pour me demander de libérer la chambre, j'y serais encore – *à mourir de l'attendre.*

Le dimanche midi, je me suis retrouvée dans la rue, on aurait dit une clocharde. Je n'avais pas de liquide. Plus de batterie dans mon téléphone. Rien d'autre dans le ventre que deux petits-déjeuners. Et un sacré mal de crâne.

Je ne savais pas où aller.

Pas quoi faire.

Pas qui appeler.

Est-ce que je pouvais encore appeler Adam, après ce que je venais de lui faire ?

J'ai mesuré tout à coup toutes ces heures qu'il avait dû passer à m'attendre depuis l'enterrement de Claude. C'était exactement les mêmes que celles qui venaient de s'écouler pour moi. Des heures d'angoisse et de silence, de colère, de détestation de soi, si bien que je me suis dit qu'il ne pourrait que me comprendre. Qu'il était même la seule personne *au monde* capable de cela, et je suis rentrée chez moi.

– Il faut que tu couches avec lui, m'a dit Adam.

On était dans notre chambre. Je venais de lui raconter toute l'histoire. Tout depuis le début, dans le moindre détail, je m'étais donc préparée au pire, c'est-à-dire à faire mes valises, mais Adam m'a sorti cette phrase folle, cette phrase qu'aucun autre mari n'aurait eu la liberté, le courage ni l'intelligence de dire à sa femme :

– Il faut que tu couches avec lui.

– Pardon ? ai-je demandé.

– Je t'avais prévenue quand je t'ai parlé de sa femme, je t'avais dit de ne pas t'en approcher. Mais maintenant, c'est trop tard, il faut que tu ailles au bout. Enfin, si tu veux qu'on s'en sorte.

– Mais comment peux-tu me dire une chose pareille ?

– Je te dis *quoi* ? Tu vas me quitter pour ce guignol ? Pour cette espèce de presque grabataire, ce concentré d'aigreur qui te hait d'incarner tout ce à quoi il n'aura jamais accès ? Mais tu vas aller où, avec un naze pareil ? Tu vas lui présenter nos filles ? T'installer avec lui ? L'emmener en vacances chez ton père ?

– Ça va pas, bien sûr que non.

– Alors ?! Baise avec lui une bonne fois pour toutes et qu'on n'en parle plus !

Adam avait hurlé plus fort qu'il ne l'aurait voulu, et maintenant il allait et venait devant la fenêtre pour tenter de calmer ses nerfs, tandis qu'assise sur notre lit, je me demandais si nous n'étions pas en plein cauchemar – tout était si surréaliste.

– Il a peur, a repris Adam plus calmement.

– Peur de quoi ?

– Peur de ne pas réussir à bander. C'est ça son problème.

– Tu crois qu'il est impuissant ?

– Je crois qu'à son âge, ça commence à devenir un peu plus compliqué, oui. Mais ce n'est pas uniquement un problème mécanique, sinon il l'aurait réglé en prenant des médicaments. Des types comme lui, j'en reçois toute la journée. Je connais par cœur. Ils viennent me voir pour que je leur prescrive du Viagra et, une fois sur deux, ils m'avouent ne plus pouvoir se taper que des putes. Ça les rassure de payer. Ils se disent que si la fille n'a pas pris son pied, au moins elle aura gagné sa vie, elle sera contente. Est-ce que tu sais s'il se tape des putes ?

– Oui. En tout cas à l'étranger. Il va souvent en Thaïlande et en Afrique ; mais en France, je ne sais pas.

– Tu vas devoir faire la pute alors, toi aussi. La bonne petite pute de service.

– Adam...

– QUOI, ADAM ?!

– Arrête, s'il te plaît, je t'en supplie...

– Non, j'arrête pas !

– Je t'en supplie, ne me dis pas des choses aussi affreuses.

– Je te dis ce que je veux, CE QUE JE VEUX, tu m'entends ?!

Il s'était approché de moi, l'index accusateur pointé dans ma direction, et il avait vociféré à se faire péter tous les vaisseaux du visage, lequel était écarlate, ramassé comme une feuille de papier froissée. Je ne voyais plus que ses yeux ; deux yeux liquides et pleins de larmes.

– Pourquoi tu m'as fait ça ? a-t-il dit en sanglotant.

Je pleurais aussi, je ne pouvais pas lui répondre.

– Pourquoi tu m'as laissé deux jours sans nouvelles ? Tu sais comme c'est long, deux jours ? Tu sais comme tes filles étaient inquiètes ? Elles disaient que tu étais peut-être morte. Oui, elles disaient cela, je te jure. On a eu tellement peur, putain.

– Viens, ai-je murmuré. Viens là.

Adam a mis un certain temps à accepter d'attraper la main que je lui tendais. Ensuite, j'ai déposé tout doucement, une à une, mes vertèbres sur le matelas de notre lit, et tout aussi doucement, lui est venu se coucher sur moi, de sorte que nos deux corps qui ne s'étaient pas aimés depuis dix ans se sont retrouvés dans la position de l'être, et à cet instant complètement fou où le sexe d'Adam est entré en moi, ce que je n'envisageais plus possible une seule seconde même en rêve, je me suis dit, en larmes, que ce corps d'homme était évidemment une partie du mien. Je n'ai plus voulu, dès lors, qu'il me laisse ; ni même qu'il se retire un tout petit peu, parce que c'était comme si j'avais retrouvé l'usage d'un de mes membres, quelque chose en moi qui se serait endormi et qui tout à coup se réveillerait, et nous sommes restés ainsi une éternité, accrochés l'un à l'autre sous le choc et l'émerveillement de ce qui nous arrivait mais sans bouger d'un centimètre, sans se regarder, sans se parler non plus, en réalité sans rien faire d'autre que se retrouver, sinon l'amour comme nous ne l'avions jamais fait.

– Attends…, ai-je dit à Adam un peu plus tard, quand il allait se retirer, je voudrais te dire quelque chose.

Une chose que je n'aurais pas eu la force de lui demander s'il n'avait pas été en moi.

– Oui.

– Je voudrais que tu m'aides à guérir de cette histoire. Je voudrais que tu m'aides comme tu aides tes patients, parce que ce n'est pas une rencontre,

185

que j'ai faite ; c'est une maladie qui m'est tombée dessus.

– Qu'est-ce que tu racontes ?

– Il faut que tu me croies. Cet homme, c'est comme un cancer, tu vois ? Ça me bouffe à petit feu, ça me ronge de l'intérieur, et si tu ne m'aides pas, je vais perdre pied. Je le sens, Adam, j'vais complètement vriller, j'vais plus être là pour personne, même plus pour les filles, alors je te le demande, je t'en supplie, ne me laisse pas. S'il te plaît, Adam. Aide-moi. J'ai tellement besoin de toi.

Adam a commencé par me prendre mon portable. Il a effacé tous les textos que j'avais échangés avec Benoît, tous les messages oraux, puis il a supprimé son numéro de mes contacts et quand enfin il a eu fait tout cela, il s'est dit que le mieux serait encore que je change de téléphone au cas où *le cancer* (c'est comme ça désormais qu'on l'appelait) aurait l'idée de me rappeler. Nous sommes donc allés chez Orange rue Soufflot en choisir un tout nouveau, tout vierge tout beau puis, en bon médecin, Adam m'a emmenée faire des analyses chez un de ses amis biologistes, et les résultats de ma thyroïde l'ont tant inquiété que, trois jours plus tard, il avait pris rendez-vous avec le Dr Valdès, un endocrinologue de l'Institut Montsouris qu'il aimait beaucoup, et avec lequel il travaillait souvent.

Nous sommes allés ensemble au rendez-vous.

C'était un matin très tôt. Il ne pleuvait pas mais les rues étaient trempées, l'humidité totale et le ciel d'une blancheur de lait : je n'ai pas le souvenir d'avoir vu Paris si triste. On aurait dit que le printemps ne reviendrait jamais. De partout suintait le vide et l'ennui, et le silence poisseux qui nous enveloppait me renvoya soudain à cette année étrange où, victime de crises d'épilepsie, mon père m'avait traînée d'hôpital en hôpital pour consulter des spécialistes qui n'avaient jamais le même diagnostic. Dans la voiture qui nous conduisait à Cochin, Trousseau ou Lariboisière, mon père disait toujours les mêmes mots. Il disait avec un peu de rage au coin des lèvres *de toute façon, ils peuvent te faire autant d'IRM qu'ils veulent, moi je sais bien que tu n'as rien, c'est dans ta tête, Émilie, c'est dans ta* cabeza *de malade, de toute façon, tu as toujours voulu te faire remarquer, FAIRE CHIER TON MONDE, tu es une chieuse, personne n'y peut rien, c'est comme ça, c'est intrinsèque à ta nature, et le seul à plaindre, c'est celui qui dans dix ans sera assis à ma place* – ADAM. Oui, c'était Adam qui était assis là maintenant, et tandis qu'il conduisait, j'observais son profil pour voir si, comme l'avait prédit mon père, je le faisais vraiment « chier ». Sans doute, mais il avait l'élégance de ne pas le souligner. Il était d'un calme olympien. Il était fort, rassurant ; il était exactement comme j'aurais voulu que mon père soit à l'époque, et je me suis dit que l'âge adulte n'était qu'un correcteur, une seconde chance – qu'on passait sa vie à réparer son enfance.

Valdès nous a reçus tout de suite. Il occupait un petit bureau immaculé au dernier étage de l'Institut Montsouris, et à la manière dont il a chaleureusement serré Adam dans ses bras, j'ai tout de suite compris que ces deux-là n'étaient pas seulement collègues, mais amis. Je me suis demandé si Adam lui avait parlé de Benoît. S'il lui avait raconté toute l'histoire depuis le début, l'article dans le journal, l'enterrement, les deux jours à l'hôtel Stanislas et puis le reste. C'était bien possible. Et cela ne me dérangeait pas si Valdès ignorait qui était *le cancer*. Mais s'il savait, s'il l'avait lu, s'il connaissait certaine de ses prises de position qui sentaient franchement le soufre, il serait forcément tenté de me demander comment une fille comme moi, une fille qui avait l'histoire et le parcours que j'avais, avait pu seulement regarder un type pareil, et cette question, parce que j'étais incapable d'y répondre, me hantait. Par chance, il a commencé par des interrogations beaucoup plus simples :

– Est-ce que vous prenez bien votre Levothyrox tous les jours ?

– Oui.

– Du Levothyrox, pas un générique ?

– Oui.

– À jeun ?

– Oui, oui.

– Bon, ça, c'est bien. C'est important. Et sur le plan physique ? Vous vous sentez comment ? Bien, dynamique, ou au contraire un peu plus fatiguée que d'ordinaire ?

– Je ne sais pas.

– Ben si, tu sais, est intervenu Adam. Combien de fois, ces dernières semaines, je suis rentré et je t'ai trouvée au lit ?

– Mais j'étais mal…

– Oui, c'est exactement ce que disent vos analyses, a repris Valdès. Et vous, vous diriez quoi ? Que c'est une fatigue à l'effort, en montant les escaliers, par exemple, ou plutôt permanente ?

– Ça ressemble davantage à de violents coups de barre. Subitement, je ne tiens plus debout. Je pourrais me coucher où je suis, et sombrer.

– Mais non, voyons ! m'a gentiment répondu Valdès, vous n'allez pas sombrer !

Il avait le plus doux sourire du monde, et les larmes me sont montées aux yeux. J'avais tellement peur du contraire. Tellement peur de couler à pic. Il m'a ensuite promis que si je l'écoutais tout irait bien, mais qu'il fallait absolument que je l'écoute parce que la maladie de Hashimoto n'était pas un détail, or au stade où j'en étais ma glande thyroïdienne ne sécrétait presque plus d'hormones, résultat tout mon métabolisme en pâtissait, ma peau, mes os, mon cœur, ma mémoire, mon humeur – et si je ne voulais pas me retrouver avec un cancer dans les deux ans, mieux valait m'éloigner de ce qui me faisait du mal. *Cancer.* Il avait dit ce nom-là… Le nouveau nom de Benoît. J'avais donc vu juste, et comme Adam j'ai été prise d'une panique folle, car nous savions tous les deux ce que ce mot signifiait de lutte, et de danger.

Valdès s'est levé, puis il est venu derrière moi et, de ses deux mains, m'a longuement palpé le cou. Il ne disait rien et je lui en voulais. Je ne savais pas ce qu'il pensait. Il m'a demandé ensuite, et toujours sans émettre le moindre commentaire, d'aller m'allonger sur le lit d'auscultation. Il voulait procéder à une échographie de contrôle, je l'ai compris lorsqu'il a étalé un gel glacé sur ma gorge, du menton à l'orée de mes clavicules. Il a alors passé sa caméra sur la zone enduite, comme un autre médecin l'avait fait sur mon ventre quand s'y logeaient Suzanne puis Léa, et ce souvenir qui en appela un autre bien plus fort, celui de leur cœur battant à toute allure dans les premiers jours de leur vie, m'apporta un peu de réconfort. Valdès, les yeux fixés sur son écran, a dit alors, avec beaucoup de joie :

– Pas de nodules pour cette fois !

Ça voulait dire pas de cancer ! Pas d'ablation ! Pas d'opération ! Et j'en ai été si bouleversée que je me suis fait ce jour-là, comme un vœu pieux, la promesse de ne plus jamais m'approcher de B.

*

Avant de me laisser repartir avec une ordonnance qui augmentait significativement mes doses de Levothyrox, Valdès m'a demandé de réfléchir à la possibilité de reprendre mes interventions dans les lycées. Adam lui en avait parlé, et il était certain que ça me ferait le plus grand bien. Il disait que même si l'ambiance était tendue et l'antisémitisme un sujet difficile, j'avais besoin de voir du monde, d'occuper mon esprit et mon emploi du temps. J'ai dit *d'accord*, comme à la fille de l'Éducation nationale, mais je savais que je n'y retournerais pas – dans l'état émotionnel où je me trouvais, c'était totalement inenvisageable. Pour finir, Valdès m'a conseillé de me remettre au sport, puis de consommer un maximum de produits contenant de l'iode. Selon lui, c'était indispensable quand on souffrait de la thyroïde. Il m'a indiqué l'adresse d'un Naturalia où en trouver sous forme de compléments alimentaires, puis il a dit que si je pouvais en plus aller passer quelques jours au bord de la mer, ce serait l'idéal. Adam a promis qu'il s'en occuperait. Et comme Adam tient toujours ses promesses, le week-end d'après nous étions à Venise, là où la mer est partout.

Il a plu sans cesse pendant ces deux jours dans la cité lacustre, et l'hôtel était comme la ville, triste à mourir, mais j'étais soulagée d'avoir quitté Paris, de ne plus marcher dans la rue la boule au ventre de crainte de tomber sur *lui*, et surtout cela me réconfortait de pouvoir en parler si librement avec Adam. Nous en parlions sans arrêt. Nous ne parlions même que de lui, parce que c'était une façon pour moi de mettre le mal à distance, de l'étudier comme sous un microscope, et Adam qui, au début de sa carrière, avait beaucoup travaillé sur les addictions, comprenait très bien cela. Il savait que j'étais dans le schéma classique de toute dépendance, et que la parole était le premier pas vers la guérison, de sorte qu'il m'expliquait ; il me disait « *le cancer* », mortel ? *Mais non, voyons ! Mortel de quoi ? C'est juste un homme qui se défend avec les armes qui lui restent – ses mots. Voilà pourquoi il t'envoie soixante textos par jour, pour te faire*

oublier le reste. Quoi ? Eh bien son âge, ses livres
qui n'intéressent plus ni la critique ni le public,
et peut-être aussi son impuissance, n'est-ce pas ?
Est-ce qu'il est réellement impuissant ? Oui, je te
l'ai déjà dit, tout, dans mon expérience de médecin, me le laisse penser. Sinon, pourquoi n'avez-
vous jamais couché ensemble ? Est-ce que tu peux
répondre à cette question ? Non. Eh bien moi je te
le dis : parce qu'il ne peut pas. Enfin, peut-être que
d'un point de vue purement mécanique, les choses
fonctionnent encore, du moins à peu près, et si tel
n'est pas le cas, nous ne sommes plus à l'époque de
Romain Gary, au-delà de cette limite, le ticket est
toujours valable ! Le génialissime pharmacologue
Robert Furchgott, Prix Nobel de médecine 1998, a
découvert l'EDRF à l'origine de la mise au point
du Viagra, n'est-ce pas ? Mais « le cancer » te l'a
dit lui-même, il n'en est capable qu'avec des filles
qu'il paye ou qu'il méprise intellectuellement, des
filles qu'il domine, « On baise uniquement les ani-
maux », c'est bien ce qu'il t'expliquait ? Comment
veux-tu donc qu'il ait le courage de se glisser dans
un lit avec toi ? Te rends-tu compte ? Toi qui fais
le même métier que lui ? Toi qui pourrais le mettre
dans un livre, consigner chaque détail de son anatomie, dire la manière dont il ne baise pas, non mais
pourquoi prendrait-il ce risque fou ? « Le cancer »
n'est pas fou du tout. Il sait très bien de quoi tu
es capable. Il sait aussi qu'il ne te séduira jamais
mieux que par ses mots, pourquoi donc changer

de tactique ? *Tous les mots, tous les textos qu'il t'a écrits... Tu pourrais porter plainte pour harcèlement. Quand tu me les as fait lire, la première fois, j'ai tout de suite compris que c'était un homme qui n'avait plus de vie sexuelle, et qu'à soixante ans, il n'avait rien pour compenser cela. Non, rien de ce qui permet, à cet âge, d'accéder encore au marché de la séduction : pas de fortune personnelle, pas de pouvoir, pas de titre honorifique, pas de vrai succès artistique, or dans le petit milieu parisien qui est le sien, tu avoueras que ça réduit drastiquement le champ des possibles... À quel genre de femmes peut-il encore prétendre ? Quasiment aucune, mais par une sorte de miracle qu'il faudra un jour que tu élucides, il t'a trouvée, toi. Et il ne te lâchera plus, contrairement à ce que tu t'imagines. Parce que c'est amusant pour lui. C'est une distraction, tu comprends ? Un moyen aussi, de prendre sa revanche. Vois une chose : « le cancer » est un Rastignac. « Le cancer » a quitté sa banlieue de communistes en voulant venger son père, avec la haine des riches et des nantis mais en même temps la folle envie de leur ressembler, de jouir comme eux, de partir en vacances dans les mêmes palaces cinq étoiles, de se taper la même cloche et les mêmes femmes, il a d'ailleurs passé sa vie à les leur piquer, c'était sa petite victoire personnelle et il essaye encore avec toi, mais oui, bien sûr, qu'il essaye à travers toi de m'atteindre moi, son pire cauchemar, moi le nouveau riche, celui dont il se répète en boucle qu'il aurait pu occuper la place, le fils d'un ridicule petit tailleur juif polonais qui a grandi à Montreuil et qui aurait dû (enfin si le monde tournait rond) y rester, oui, rester dans sa pauvreté, sa crasse, son inculture de juif immigré mais qui, par le biais d'un « complot » évidemment, est devenu un riche médecin français mille fois mieux loti que lui, lequel détenait pourtant le pouvoir sacré de la langue, l'esprit, l'âme même de ce pays – quelle insupportable injustice ! Un juif en plus... C'en était trop. Il fallait réparer cela. Et il a décidé de s'en charger lui, voilà pourquoi il te le répète sans cesse : « Comme ton pauvre mari va souffrir. »*

Adam était convaincu que *le cancer* n'avait pas eu d'autre dessein, toute sa vie durant, que de venger sa classe. Il pensait même qu'il s'était toujours amouraché de filles d'artistocrates et de gros industriels uniquement pour cela, et que si maintenant il s'intéressait à moi, à qui il avait pu dire cette phrase aussi abjecte que *j'aime beaucoup les juives*, ce n'était pas un hasard. C'était cela surtout qui lui avait plu dans mon *pedigree* : ma judéité. Mais chez lui, *j'aime* voulait dire *j'envie*. Or cette jalousie, si classique, engendrait toujours la haine, et bien que j'eusse décidé de ne plus *m'occuper d'antisémitisme*, Adam m'a suppliée de ne pas oublier ça. D'en avoir la conscience aiguë le jour où *le cancer* me rappellerait, parce que cette conscience-là, la conscience d'appartenir à un peuple qui suscitait tant de haine, me protégerait toujours d'un homme qui enrageait de ne pas avoir été *élu* lui aussi, s'imaginant bêtement que l'élection était une préférence quand, en vérité, elle n'était qu'une responsabilité, celle d'assurer la pérennité d'un Livre qui nous guidait depuis plus de cinq mille ans.

Nous étions sur le *vaporetto* qui nous ramenait à la gare quand Adam m'a dit cela. Il avait un air d'une gravité exceptionnelle, et je me suis demandé s'il pensait sincèrement, comme mon père, que Benoît Parent était antisémite. C'était la première fois que ces deux hommes, mon père et mon mari, partageaient la même idée. Cela me troubla. Il n'y avait pas de quoi, pourtant. Ils m'aimaient tous les deux et ils voulaient tous les deux me protéger. Me faire comprendre, une bonne fois pour toutes, où ce genre d'histoire pouvait mener : non seulement à la fin d'un mariage, mais à la négation de soi.

Le retour à Paris fut cauchemardesque. Je ne me faisais pas confiance une demi-seconde, de sorte que j'étais terrifiée à l'idée de rester seule. On aurait dit une alcoolique devant une cave remplie de bouteilles. Je me disais si je reste seule, c'est sûr, je vais craquer. Ça voulait dire je vais le rappeler (bien évidemment, je connaissais toujours son numéro par cœur), ou pire, je vais aller déjeuner dans une de ses cantines, La Closerie, La Rotonde, L'Atelier, Bullier, *Not'café*, et si je ne le croise pas, je serais encore capable d'aller traîner au Luxembourg jusqu'à sa fermeture, et même de recommencer le lendemain, et le surlemendain encore pour enfin tomber sur lui et pouvoir me dire *oh, dingue, ce coup du hasard, c'est forcément un signe !*

Il ne fallait surtout pas que je reste seule. Pas même une heure, je me sentais beaucoup trop fragile pour prendre ce risque. Ainsi, pendant près d'un mois, je n'ai pas lâché Adam d'une semelle. Je l'ai accompagné à tous ses rendez-vous. Il devait voir son comptable, il en avait pour cinq minutes ? Son notaire ? Son avocat ? Pas de problème, je pouvais patienter en bas dans sa voiture, comme je l'attendais à la cafétéria ou au Relais H de l'hôpital les jours où il opérait. Je n'avais pas le droit d'entrer au bloc, malheureusement, mais lorsqu'il recevait ses patients en consultation, rien ne m'empêchait de me glisser dans sa salle d'attente, et le fait si symbolique d'être entourée de gens qui eux aussi souffraient du cœur, mais souffraient *vraiment, physiquement,* me faisait un bien fou.

Adam, quant à lui, était admirable. Il n'avait de cesse de m'encourager. Il me disait sans arrêt que chaque jour de passé était un jour de gagné, et que c'était exactement comme pour n'importe quelle autre addiction, plus on s'éloignait dans le temps du dernier contact, plus le risque de rechute s'amenuisait. Au bout d'un mois, je me sentais en effet beaucoup plus forte. Certes, *le cancer* demeurait une épée de Damoclès au-dessus de ma tête, mais j'arrivais à vivre avec cette idée-là, du moins à la tolérer, et parfois même à l'oublier. Est-ce pour cela que le jour où j'ai reçu un appel de la production m'annonçant qu'*Un vrai salaud* venait de recevoir un prix, je ne me suis pas méfiée ? C'était un prix dont je n'avais jamais entendu parler. Un prix d'un tout jeune festival, doté pourtant de vingt mille euros ainsi que d'un séjour d'une semaine pour deux personnes dans un sublime hôtel en Corse-du-Sud. *Je t'envoie le dossier de presse dès que possible*, m'avait dit mon attachée de presse, ce qu'elle avait dû faire en rentrant de projection, tard le soir, mais trop occupée à profiter avec Adam de cette bonne nouvelle, je n'avais pas pris le temps de le consulter. Adam avait littéralement sauté de joie, il était encore plus fier et content que moi. Et la nature du prix l'enchantait, depuis le temps qu'il rêvait de m'emmener en Corse ! Nous avions fait un tas de voyages ensemble, mais curieusement pas celui-là, et je ne connaissais toujours pas cette île dont il me répétait, depuis que je le connaissais – *cherche pas, y a pas plus beau.*

Nous avons décidé ce soir-là, en buvant une coupe de champagne au bistrot en bas de la maison, que nous partirions début juillet, au moment où les filles seraient en séjour linguistique en Angleterre, et je me souviens d'avoir pensé, le lendemain midi dans le taxi qui m'emmenait au Fouquet's pour la remise de prix, que celui-ci n'était pas seulement une récompense artistique, mais un cadeau pour notre couple, une sorte de seconde lune de miel. J'ai alors envoyé un texto à Adam pour lui dire que je l'aimais. Il opérait, il n'avait pas pu m'accompagner.

Et s'il avait pu ?

Et s'il n'avait pas eu d'opération ce jour-là ?

Et si la remise du prix avait eu lieu un autre jour ?

Je n'ai pas la moindre idée de ce qui aurait pu se passer, mais c'est la première question qui m'a traversé l'esprit quand j'ai vu *le cancer* au fond de la salle, entouré d'une grappe de gens, et que j'ai compris que la petite dame en tailleur qui m'avait accueillie à l'entrée me conduisait à lui. Elle disait :

– Oh ! comme le président va être content ! Il vous attend depuis tout à l'heure. Il trépigne à l'idée de vous rencontrer, il a vraiment *adoré* votre film. Je ne devrais peut-être pas vous le dire, mais sachez que c'est grâce à lui que vous avez décroché le prix : sa voix comptait double.

Ah. C'était sans doute pour cela que subitement, moi, je n'en avais plus. J'aurais pourtant voulu

héler la petite dame et lui dire *attendez, attendez !*
Je viens de recevoir un appel, une affreuse nou-
velle, excusez-moi, je ne vais pas pouvoir rester,
mais le temps d'y penser, j'étais déjà arrivée à hauteur du *cancer*, et j'avais déjà même serré la main
qu'il me tendait.

– Quel plaisir, *enfin*, de vous rencontrer, a-t-il
dit. Toutes mes félicitations.

Salopard. Il avait un sourire machiavélique,
un regard sournois, mais nous n'étions pas seuls,
j'étais bien obligée de le soutenir.

– Merci, ai-je murmuré.

Et il a repris :

– Je redoutais beaucoup que vous ne puissiez
être des nôtres. Vous avez été prévenue tellement
tard…

– Oui, c'est vrai, a acquiescé la petite dame en
tailleur à l'attention de l'assemblée qui nous entou-
rait, notre lauréat est toujours prévenu le jour des
délibérations, c'est-à-dire la veille, voire même le
jour de la remise. Et forcément c'est une surprise
puisque nous ne faisons pas de présélections.

– Ce qui est une vraie bêtise, a fait remarquer
le cancer. Regardez l'an dernier… Foenkinos était
en Chine, il n'a pas pu rentrer, et nous n'avons
eu aucune photo dans la presse. Mais nous allons
nous rattraper, n'est-ce pas ?

Il s'était tourné vers moi pour dire cela, et il
souriait encore, de cet odieux sourire qui semblait
vouloir dire *tu vois, ma grande, avec quelle facilité*

je t'ai baisée ? C'est tellement facile de baiser une fille comme toi. Je n'avais qu'une envie, lui cracher au visage, mais il venait de poser gentiment son bras sur mon épaule en m'assénant le coup fatal :

– Et où sont les photographes ?

*

Les flashs nous ont mitraillé un temps qui m'a paru durer une éternité, et je me suis sentie comme un lapin pris dans les phares d'une voiture : je ne savais plus où aller. Il y aurait désormais des photos de nous en circulation, il suffirait de taper nos deux noms sur Google images pour les voir apparaître et ces clichés, sous quinzaine, se retrouveraient fatalement dans un des magazines auxquels Adam était abonné pour la salle d'attente de sa consultation. Est-ce que quelqu'un, quelque part, pouvait appuyer sur la touche « Pause » et me sortir de ce cauchemar ?!

La petite dame en tailleur nous a invités à passer dans une salle attenante pour nous restaurer. On y avait dressé une quinzaine de tables rondes joliment fleuries. Des tables pour huit à dix personnes. J'ai compris alors que mon calvaire ne faisait que commencer : le déjeuner était assis et, évidemment, *placé.*

– Je n'ai pas fait exprès, a dit *le cancer.* Je te jure. *Le lauréat est toujours à la droite du président.*

– Sers-moi un verre de blanc.

– Mais bien sûr.

Il m'a servi, j'ai bu d'un trait, et j'ai dit :

– Un autre.

– Kim, c'est pas sérieux, ça !

– C'est pas sérieux, mais là c'est pas supportable, alors sers-moi un autre verre, Bruce Willis, et ferme-la.

– D'accord, Kim. D'accord, je le fais tout de suite. T'énerve pas.

Le premier plat nous a été apporté. Puis le deuxième, et les gens qui étaient assis avec nous ont commencé à me parler de mon film. Ils me disaient tous des choses très gentilles. Ils étaient curieux de l'écriture, du tournage, de la direction d'acteurs, seulement j'étais dans un tel état de tension et de colère que je n'arrivais pas à aligner trois mots.

– Tu pourrais faire un petit effort, quand même..., a fini par me souffler le président. Au moins souris, tu viens d'avoir un prix !

– Je t'emmerde.

– Toujours aussi aimable, à ce que je vois.

– Pourquoi tu m'as fait ça ?

– Fait quoi ?

– Pourquoi tu m'as laissée dans cet hôtel pourri et tu n'es jamais remonté ?

– Je ne sais pas. Franchement, *aucune* idée. J'ai dû oublier.

– *Co*-nnard !

– Je préfère con, si possible. Con, c'est toujours plus mignon.

– Je vais te tuer, Benoît Parent. Je vais prendre cet Opinel et je vais te planter avec.

– Mais non, voyons. Tout le monde s'en fout, même toi. Allez tiens, reprends un verre de blanc. À ton succès, Kim !

La petite dame en tailleur a alors surgi entre nous, sa tête glissée entre nos deux épaules pour nous dire qu'elle allait bientôt annoncer la remise du prix. Elle a proposé à son président de rejoindre le devant de la salle dès qu'il aurait fini son plat, afin de prononcer quelques mots ; elle m'appellerait ensuite. *Le cancer* a acquiescé et la petite dame a été contente – elle est repartie.

– Pourquoi tu m'as fait ça ?

– Encore ! Mais je te dis, je ne sais pas... Je suis descendu chercher mes médicaments à la pharmacie, elle était fermée, j'en ai cherché une autre, et puis de pas en pas, voilà... Pardon. Je suis désolé.

– Je te demande pas ça ! Je te demande pourquoi tu m'as donné ce prix ?

– Ah... Pourquoi... Eh bien parce que j'ai aimé ton film, bien sûr. Et puis j'ai pensé que tu serais contente d'avoir vingt mille euros, ça coûte cher, un divorce.

– Espèce d'ordure.

– Quelle injustice. Vingt mille euros, t'es pas contente ? Net d'impôts, en plus. Tu vas pouvoir payer le déménageur, t'acheter de jolis meubles...

et puis ensuite, on se mariera, mon amour, et on partira en voyages de noces en Corse-du-Sud, d'accord ? Tu verras comme tu seras heureuse avec moi.

J'ai serré les dents pour ravaler mes larmes, ce n'était que de la rage, et ce salaud qui les avait vues a dit que j'étais belle quand je pleurais. Il a ensuite eu le temps d'attraper mon téléphone. Il a alors composé son numéro afin que le mien s'affiche sur son écran, puis il a dit :

– C'est pas bien, de changer comme ça de coordonnées, sans me prévenir. Après je n'arrive pas à te joindre, je suis en colère, et ça me donne envie d'appeler ton mari. Tu sais que j'ai toujours la petite carte de ton-gentil-mari-cardiologue-qui-va-beaucoup-souffrir-parce-que-tu-ne-l'aimes-plus-et-que-tu-vas-le-quitter-pour-moi ?

Il s'était levé pour m'annoncer cela comme si, du haut de son mètre quatre-vingt-sept, il pouvait mieux voir ses mots chuter puis venir s'écraser sur mon crâne, et en tirer une jouissance sans pareille. Cela a duré plusieurs secondes. Ensuite, il a défroissé le bas de sa veste et, d'un pas tranquille, a rejoint la petite dame au-devant de la salle, comme elle le lui avait demandé : quelques minutes plus tard, elle lui passait le micro pour qu'il présente mon film. Je ne me souviens guère de ce qu'il en a dit, sinon qu'il s'était toute sa vie demandé pourquoi les salauds existaient, pourquoi aussi ils n'étaient jamais punis, et mon film lui avait fourni une réponse : pour que des gens comme moi puissent écrire. Cette phrase s'est détachée du reste de son discours à la manière d'un bout de glace dérivant au large de l'iceberg. Elle s'est mise à bourdonner à mes oreilles, et tout à coup, ç'a été comme de voir la lumière : *écrire*, c'était évidemment ce que je devais faire ! Il me l'avait dit lui-même, au tout début de notre rencontre, il m'avait dit *écris sur moi, il restera au moins ça.* Il ne s'était pas trompé. Il me restait l'écriture. Elle était même la dernière arme dont je disposais pour me battre contre lui. Seulement si je décidais de m'en servir, l'histoire ne faisait que commencer.

II

L'histoire serait très simple. Elle raconterait comment une femme qui avait tout, un mari aimant, un amant performant, deux beaux enfants, une situation financière plus que confortable et un métier qu'elle adorait, allait progressivement tout *foutre en l'air* pour un homme qu'elle n'avait même pas embrassé. *Tout foutre en l'air*. C'était exactement ce que m'avait dit *le cancer* ; ce qu'il m'avait *prédit* dans les toutes premières semaines qui avaient suivi notre rencontre, or puisqu'il n'était pas possible de chasser cet homme de ma vie, puisque cet homme finissait toujours, à un moment ou un autre, par réapparaître, le seul moyen de lutter contre sa sinistre prophétie me semblait désormais de la voir se réaliser dans un livre, un roman qui conjurerait le mauvais sort, en quelque sorte, et qui en même temps mettrait fin à toutes mes frustrations en m'offrant ce que la vie me refusait avec lui : une *passion simple*.

L'idée m'était venue en voyant ce texte d'Annie Ernaux dans ma bibliothèque. Je venais de rentrer du Fouquet's, Adam était toujours à l'hôpital, les filles à l'école, et je tournais en rond dans mon salon avec cette conviction qu'il fallait se mettre à écrire au plus vite, mais écrire quoi, je n'en avais pas la moindre idée, quand mon regard est tombé sur la tranche de ce livre. Il avait sans doute été attiré par le titre car c'était tout l'inverse de ce que cet homme me proposait – *une histoire platonique très, très compliquée* – et peut-être aussi parce que celui-ci m'avait plusieurs fois témoigné une vraie animosité à l'égard de cet auteur pour qui j'avais, moi, une grande admiration. Il était même allé, quel culot, jusqu'à la traiter d'écrivain « lamentable », et rien que pour ça, j'avais envie de relire *Passion simple*, ce que j'ai fait sans attendre, c'était une manière de lui dire *Annie Ernaux et moi – on t'emmerde !*

Quand j'ai eu terminé, j'ai su que c'était cela, évidemment, que je devais faire : le récit d'une passion *physique* entre *le cancer* et moi. Car écrire cette passion serait aussi fort sinon plus que de l'avoir vécue réellement et, c'est bien connu, tout ce qui est vécu n'est plus à vivre. La bonne nouvelle c'est que pour cela, je n'avais besoin ni de lui, ni d'Adam, ni de personne – mes mots me suffisaient. C'étaient ceux d'Annie Ernaux qui m'avaient permis de m'en souvenir, me confirmant par cette même occasion, et avec beaucoup de force, ce que j'avais toujours pensé : on n'écrit jamais à partir de rien, mais de ses lectures ; on écrit à partir des mots des autres, de ses pairs. Dans le sillon de cet écrivain, j'allais donc écrire ma *passion simple* à moi. Et dans le roman de cette passion, ce « cher cancer » serait très heureux puisque je quitterais Adam pour lui, mais jamais, oh ça non jamais je ne quitterais mon mari dans la vie !

La vie était belle et la fiction aussi.

La première scène qui m'est venue de mon livre, ce jour-là dans le salon, est la scène de rupture avec Adam. C'était comme dans un film. Les images se succédaient les unes après les autres, à la vitesse de la lumière, je n'avais pas le moindre effort à faire, tout était fluide et limpide, et après ces longs mois où j'avais été infoutue d'écrire une ligne ni même de trouver une seule idée valable, cela me parut complètement dingue. Inespéré. Ce n'était pourtant rien d'autre que la manifestation de l'inspiration retrouvée, et la preuve aussi qu'il ne sert à rien de chercher des sujets, que ce sont eux, toujours, qui nous choisissent.

Cette scène de rupture se passait un samedi matin au tout début du mois de juillet. Il faisait très chaud à Paris, et nous étions Adam et moi dans notre chambre en train de nous préparer pour aller déjeuner quelque part. Les filles, elles, n'étaient pas là.

Elles n'étaient pas à la maison, de sorte qu'un silence d'avant leur naissance avait réinvesti les lieux ; il y régnait une atmosphère monacale où, même à deux, la solitude semblait possible. Nous avions ouvert en grand les fenêtres donnant sur l'immense jardin classé des voisins. On pouvait entendre les oiseaux piailler, le vent dans les feuilles, la petite musique de l'eau qui coulait, enchanteresse, de la jolie fontaine en pierre, tandis que les frondaisons des marronniers rentraient presque dans le cadre de cette grande fenêtre, comme c'était réellement le cas l'été dans notre chambre, et tout ce vert éteignait les autres couleurs qui auraient pu surgir ici et là, il n'y avait plus que du blanc et du vert partout, pas autre chose, comme un gros bouquet de mariée – sauf moi qui portait du noir. Oui, c'était bien moi, mais tout à coup j'ai eu envie de dire *elle,* tel un besoin subit de m'écarter de ce double narratif qui allait quitter son mari. Donc dans ma tête, je me suis reprise et j'ai dit *sauf elle qui portait du noir.* Puis, jusqu'au bout, j'ai poursuivi à la troisième personne.

*

Ce dimanche de juillet, dans la quiétude de leur chambre, juste avant déjeuner, *Elle* avait donc enfilé une petite robe noire près du corps, très courte, avec de fines bretelles, et *elle* venait de s'asseoir sur le lit pour boucler ses sandales quand Adam lui demanda si *elle* s'était décidée pour les vacances.

– On est déjà en juillet, constata-t-il. Je ne comprends pas pourquoi tu attends comme ça.

Elle avait faim. *Elle* était au bord du malaise vagal, et *elle* pensa qu'il valait mieux ne pas gaspiller bêtement des calories à lui répondre. Une fois au restaurant, ils auraient tout le temps de parler des vacances. *Elle* disparut dans la salle de bains.

Adam connaissait sa femme. Il savait bien qu'il fallait la laisser, lâcher l'affaire, mais sa langue le brûlait et il la suivit jusqu'au seuil de la porte, de manière à voir au moins son reflet dans le miroir. *Elle* avait relevé ses cheveux en chignon et *elle* était en train d'enfiler ses dormeuses. Maintenant, *elle* inclinait la tête légèrement sur la droite, avec un air plutôt satisfait. Comme *elle* pouvait être chieuse, parfois, pensa-t-il. Mais toujours à la manière d'une enfant, sans que cela ne porte pour lui à conséquence. Il l'aimait. Il ne pouvait pas dire autre chose. Et pourtant, il dit :

– Je t'ai proposé le Portugal, la Sicile, la Grèce. Tu as regardé la Grèce ?

Elle regardait son front. Une tache lui était apparu durant l'hiver et *elle* pensa que c'était donc comme ça, par petites touches, que s'installait la vieillesse – une misère. Non, *elle* n'avait pas regardé la Grèce. Mais maintenant qu'il lui en parlait, *elle* visualisa un port serti de jolies maisons blanches aux volets bleus, des pergolas fleuries de bougain-villiers, des femmes en noir assises à l'ombre dans le silence de l'après-midi et des petites barques, semblables à des coques de noix, flottant dans la rade – *pourquoi pas*.

– Tu as regardé ? insista Adam.

Elle ressortit de la salle de bains avec un certain élan de sorte qu'*elle* manqua lui rentrer dedans. Il était là, face à *elle*, qui l'attendait :

– Ça fait des mois que je te demande ce que tu veux faire cet été ! Des mois que je te dis organise quelque chose, réserve au moins des billets on va se retrouver comme des cons avec les filles sur les bras, y aura plus de place nulle part, qu'est-ce qu'on fait si on ne trouve rien ? On reste ici ? On va chez ton père au Maroc ? Super !

Chez son père au Maroc, quelle drôle d'idée…, pensa-t-*elle* alors que son ventre continuait de faire des bruits impossibles. Des bruits qui lui faisaient honte.

– Ok, j'ai trouvé, dit finalement Adam, on part chez les Charment au-dessus de Nice. Depuis le temps qu'ils nous invitent… Franck et Vanessa y seront aussi. Une semaine, ce sera sympa et ensuite, on ne prévoit rien, on loue juste une voiture et on se balade dans la région. Tu veux ?

Elle voulait surtout, pour l'instant, un tartare-frites. *Elle* ne sentait plus ses jambes, sa vue commençait à se brouiller et les choses autour à tanguer. *Elle* était en train de faire une crise d'hypoglycémie. Il fallait qu'*elle* le dise à Adam avant de tomber, et c'est ce qu'*elle* s'apprêtait à faire lorsque, pour une raison qui lui échappa, *elle* s'entendit lâcher :

– C'est fini.
– Qu'est-ce que tu dis ?
– C'est fini entre nous, Adam. Je te quitte.

Des deux, *elle* fut de loin la plus stupéfaite par cette annonce. *Elle* avait la sensation qu'une autre personne s'était installée au-dedans d'elle, une fille dont *elle* ne connaissait ni le nom ni le visage et qui venait de lui chourer le micro. Voulait-*elle* vraiment quitter Adam ? Non, pas du tout, enfin, *elle* ne savait pas, *elle* n'avait jamais réfléchi à la question. En fait, cela ne faisait même pas partie du champ de ses possibles, et pourtant si, puisque c'était fait. Oui, *elle* venait de faire cette chose dingue, complètement improbable, *quitter Adam*, et maintenant tout s'affolait à l'intérieur car c'était aussi vertigineux que d'avoir tué quelqu'un. *Elle* l'avait tué. À le voir, ça ne faisait aucun doute. Il s'était en quelques secondes vidé de ses couleurs, ses lèvres avaient pâli d'un coup, elles étaient devenues d'un blanc crayeux, comme si le sang, à la manière d'une vague, s'en était retiré. On aurait dit que quelque chose en lui s'était rompu. *Elle* pensa : l'aorte. Pétrifiée, *elle* imagina alors l'hémorragie se répandre, noyer ses organes, et il lui apparut que toutes les années qu'il avait passées à étudier le cœur puis à en opérer n'avaient servi qu'à le préparer à cet instant, ce moment où elle venait de briser le sien. D'une voix blanche, il demanda simplement :
– Pour un autre ?

Ce serait sa seule question.

Les seuls sons qui sortiraient de sa bouche, et au moment même où dans ma tête je les entendis, je sus qu'ils donneraient son titre au roman. *Pour un autre*. Mon double romanesque répondit :

– Non, à cause.

Et ce fut la fin de la scène.

*

Au dos d'une feuille, j'ai tout de suite écrit POUR UN AUTRE de peur de l'oublier, puis j'ai encadré ces mots grossièrement, j'ai ensuite plié la feuille, je me suis levée, et j'ai été la mettre dans mon sac. Il était vingt heures. Adam venait juste d'arriver avec les filles, qu'il était allé chercher à leur cours de dessin. Je l'ai accueilli sur le pas de la porte en le serrant très fort et très longtemps dans mes bras. Bien sûr, il a eu l'air surpris. Il ne pouvait pas se douter que, d'une certaine manière, j'avais passé mon après-midi à le quitter, ni combien j'étais donc heureuse de constater, par sa seule présence, que tout cela n'était que *littérature*. Et dans ce domaine, j'avais désormais cette scène centrale de rupture, ainsi que le titre. Ce n'était pas grand-chose. Mais c'était déjà beaucoup, car je savais notre mariage sauvé : il allait péricliter dans le roman, mais pas dans la vie. Il fallait donc ne plus se poser de questions et vite, vite, écrire le livre.

Bien évidemment, je n'ai pas pu parler à Adam du plan de sauvetage que j'avais mis au point pour préserver notre mariage. On faisait pourtant partie des « couples qui se parlent », mais même chez ces couples-là, il y a des limites à ce que l'autre peut entendre, et je ne me voyais pas dire à Adam *mon chéri, voilà il faut que je te dise, j'ai trouvé une super idée, comme je n'arrive à pas me débarrasser de ce « cancer », je vais écrire un livre dans lequel je vais te quitter pour lui, et au moins on est sûrs, je ne te quitterai pas dans la vie – super, non, comme idée ?* Non, pas super. On ne pouvait pas balancer une chose pareille à son mari, ce n'était pas sérieux. Je me suis donc tue, mais la course contre la montre dans laquelle je m'étais lancée avec cette idée et qui m'imposa dès le lendemain un rythme de travail complètement fou l'inquiéta sérieusement. Car ce n'était, en effet, pas très humain de dormir quatre heures par nuit, ni d'écrire vingt heures par jour. Je n'écrivais pas, d'ailleurs ! Je vomissais des suites de mots qui faisaient des phrases qui faisaient des paragraphes qui faisaient des pages qui faisaient des chapitres qui faisaient des parties, et cela dans une sorte d'ivresse comparable à celle que connaît le coureur de fond au bout d'un certain nombre de kilomètres, lorsque son taux d'endorphines a atteint un seuil au-delà duquel il ne touche plus terre. Je naviguais moi-même à plusieurs mètres au-dessus du sol. Je ne sentais plus mon corps. Je ne souffrais pas de la fatigue. Je n'avais aucun doute. Je me contentais d'avancer, car je ne voulais rien, sinon atteindre au plus vite la ligne d'arrivée qui était la fin de ce texte, naïvement convaincue que la survie de mon couple en dépendait. Mais Adam, lui, ignorait le danger qui nous guettait, et ne croyait pas une minute à cet *état second* dans lequel me mettait soi-disant l'écriture – pour lui, ce n'était rien d'autre qu'un cliché. Il ne croyait pas non plus que je puisse écrire un roman avant la fin de l'été, en trois mois à peine, comme je le lui avais annoncé. Et j'avais beau lui dire que Marguerite Duras l'avait bien fait avec *L'Amant*, que Radiguet avait écrit *Le Diable au corps* en seulement trois semaines, il me rétorquait que ce n'étaient pas de bons exemples, que la rapidité de l'écriture s'était sans doute imposée à ces auteurs en raison du sujet même de leur livre, de la nature par essence fulgurante de toute passion amoureuse, et qu'à moins d'écrire sur cela moi aussi, je ne pouvais me trouver dans la même urgence – *est-ce que moi aussi j'écrivais sur une passion amoureuse ?*

Cette question me terrifiait et je l'éludais chaque fois, voulant croire qu'il serait toujours temps de lui parler de mon sujet lorsque ce livre serait terminé. Lorsque nous serions *hors de tout danger*. Adam s'imaginait donc, pour l'instant, que mon acharnement à finir relevait surtout d'une pathologie, et qu'il était probablement le signe d'un nouveau désordre thyroïdien, désordre qu'il imputait davantage au Dr Valdès qu'à la maladie de Hashimoto, ce qui le faisait enrager puisque c'était lui qui m'avait mise entre ses mains. Adam était persuadé que l'endocrinologue de Montsouris m'avait prescrit du Levothyrox en surdose, et que je souffrais maintenant d'une hyperthyroïdie. J'en avais, c'est vrai, tous les symptômes : tachycardie, amaigrissement, anxiété, insomnie, comme si le fonctionnement de mon organisme s'était brutalement accéléré, comme si mon corps marchait à présent au rythme de mon écriture, et Adam, qui voyait cela d'un œil toujours plus inquiet, n'avait plus qu'une idée en tête : m'emmener voir un autre spécialiste.

C'était devenu son obsession.

Sa lubie.

Son nouveau cheval de bataille.

Ainsi, chaque matin avant de partir à l'hôpital, alors que j'étais peinarde, retranchée avec mes livres, mes cahiers, mes post-it, mes bougies, mon Mac dans la salle à manger que j'avais complètement annexée et interdite, jusqu'à nouvel ordre, à tout autre que moi pour pouvoir écrire en paix, eh bien lui passait sans prévenir sa tête dans l'embrasure et, sans le moindre scrupule, brisait le silence en même temps que ma concentration pour me dire :

– Au fait, excuse-moi de te déranger, mais si je te prends rendez-vous avec le Dr Schpountz demain à seize heures, ça te va ?

Excuse-moi de te déranger – foutaise ! Adam s'en moquait complètement, et ce mépris à l'égard de mon travail me rendait folle, car c'était tout de même pour sauver notre couple que j'écrivais ! Comment le lui faire comprendre… ? Comment lui expliquer qu'à l'instant où il me parlait, j'étais dans les bras du *cancer* au pied du *Baiser* de Brancusi, sur la tombe de Tatiana Rachewskaïa, et que s'il ne me laissait pas avancer en paix, j'y resterais peut-être coincée toute ma vie ? Malheureusement, je ne disposais d'aucun moyen pour faire entendre cela à Adam, et la tension qui s'était installée entre nous ne cessait de grandir. Elle était due, bien sûr, à ce projet d'écriture, mais aussi au fait que pour les besoins de celui-ci, j'avais décidé de renouer avec ce poison de bonhomme et l'idée qu'Adam puisse l'apprendre me stressait au plus haut point,

j'étais sans arrêt sous tension, agressive, paranoïaque. Mais je voulais nourrir mon personnage.
Je voulais de la *matière*. Ainsi, dès le lendemain du
prix au Fouquet's, c'était moi qui avais envoyé un
message à Benoît, et depuis, je n'avais eu de cesse
de le relancer. Ce qu'il m'écrivait était si miraculeux ! Du pain bénit pour le livre. Je n'avais rien
à faire, rien à inventer, il me suffisait de recopier
ses textos dans mon cahier de notes pour pouvoir
m'en souvenir, puis de les lui remettre en bouche
au bon chapitre. Voilà ! C'était tout ! Rien de plus
compliqué ! Il y avait des choses formidables dans
ce qu'il m'adressait... Des formules d'une cruauté
que je n'aurais sans doute pas osé prêter à un personnage de fiction mais qui sonnait si juste, comme
lorsqu'au beau milieu de l'après-midi, sans raison,
il m'écrivait : *Tu es si prévisible* : *Tu n'as toujours
pas quitté ton mari ? Comme tu es lâche / Tu me
déçois / Tu ne seras jamais heureuse / Tu es une
femme intéressée / Tu n'as pas de courage / Qui est
ton amant ? / Est-il plus connu que moi ? / Combien de livres vend-il par an ? / A-t-il eu des prix ? /
Est-il traduit en plusieurs langues ? / Tu mens tout
le temps / Tu m'ennuies / Idiote, tu n'as pas compris que ce qui était drôle, c'était de dire la vérité /
Je ne te lirai plus / Un mot gentil ? Bonjour / Je ne
pourrais jamais sortir avec toi parce que je ne pourrais jamais sortir avec un écrivain, ce serait comme
coucher avec un éboueur / Ou un égoutier / Ou
un médecin légiste / Non, je suis désolé, A. écrivait,*

mais elle n'était pas un écrivain / J'ai bien envie de t'emmener à Nice, le problème c'est que je ne sais pas si tu suces bien / Est-ce que les juives, ça suce ? / Est-ce que ça mange du porc ? Des saucisses ? Des crevettes ? / Je te ferai manger du porc et tu verras, tu m'en redemanderas.

Du porc, je n'en étais pas certaine, mais de ses messages oui, j'en redemandais, et le plus incroyable, c'est qu'ils étaient désormais si précieux à mon travail que non seulement ils ne me heurtaient plus, mais ils me mettaient dans un état d'excitation sans pareil, et ainsi, le soir – folle que j'étais ! – je me glissais dans le lit à côté d'Adam avec mon portable, et je faisais défiler la longue liste de textos qu'il m'avait envoyés depuis que nous avions repris notre dialogue. J'avais perdu toute notion. Je ne me rendais plus compte du risque inconsidéré que je prenais : Benoît Parent n'existait plus en tant qu'être humain, mais comme personnage. Le lire, c'était comme lire mes propres notes.

J'avais également décidé, toujours pour les besoins du livre, non seulement de renouer le dialogue, mais de le *revoir*. Les quelques moments que nous avions passés ensemble ne me suffisaient pas : ils étaient trop maigres, trop anecdotiques, et tout ce que je pouvais dire, à partir de cette matière, ne me permettrait pas de faire de lui un personnage suffisamment intéressant. Certes, il me harcelait de textos, il me répétait sans arrêt que j'allais quitter mon mari et il s'enfuyait de notre chambre d'hôtel de peur de ne pas réussir à bander, mais cela en faisait-il, d'un point de vue romanesque, un homme dangereux ? Non, évidemment. Il n'en résultait qu'un type un peu minable et c'était un vrai problème parce que tel quel, le lecteur n'arriverait jamais à comprendre comment une femme pouvait se retrouver sous sa dépendance. Si je voulais que le lecteur comprenne, il fallait qu'il ait davantage de superbe. Qu'il soit plus dur, plus violent, et c'était tout cela que j'allais chercher, et que j'espérais au plus profond de moi qu'il serait quand, durant tout le mois de mai, j'allais le retrouver en fin d'après-midi au café de la Cité U, sur les bancs du Luxembourg, ou bien chez son amie éditrice de revue pour qui il voulait que j'écrive. Le seul souci, c'était que ma volonté de mener ce texte à bien, et donc par ricochet de sauver mon couple, me hantait au point que je ne me rendais même pas compte que j'avais déjà traité ce sujet avec mon père, et peut-être même déjà écrit ce livre qui portait le nom de ce que je reprochais au *cancer* de ne pas être encore suffisamment : *un vrai salaud.* Il se posait d'ailleurs à mon sujet des questions qui ne l'auraient même pas effleuré s'il en avait vraiment été un. Il se demandait, par exemple, pourquoi je le rappelais sans cesse. Pourquoi j'acceptais ses mots insultants, ses petites humiliations, et il me disait, d'un air sincèrement étonné :

– T'aimes souffrir, en fait.

Pauvre idiot. Il ne se doutait pas une seconde de la façon dont je me servais de lui, mais en même temps comment aurait-il pu ? Plus il me malmenait et plus, c'est vrai, j'en tirais du plaisir : celui de voir mon livre s'enrichir.

*

Un soir que nous étions allés au théâtre – il m'avait emmenée voir une pièce dans le fin fond du vingtième jouée par les patients d'un hôpital psychiatrique de Soisy-sur-Seine, une punition ! –, il me proposa, pour la première fois, d'aller prendre un verre chez lui, dans ce petit appartement du septième arrondissement qui lui servait de bureau. J'hésitai. J'avais dit à Adam que je sortais avec mon amie Gabrielle pour m'aérer un peu la tête, mais il savait que je travaillais tôt le lendemain et il était déjà vingt-trois heures trente, je ne pouvais pas non plus rentrer au milieu de la nuit. En même temps, *le cancer* me proposait là ce qui deviendrait peut-être la meilleure scène de mon livre, comment résister ? C'était impossible. Je me promis d'être chez moi à minuit et demi, et nous montâmes dans un taxi.

Tout le long de ce trajet, je me suis demandé ce qu'il allait me faire. Mon attente était immense. Mon cœur battait à tout rompre. Je voulais être choquée et stupéfaite comme on l'est seulement dans un film ou un roman, et d'ailleurs c'était exactement là que je me trouvais, au beau milieu de mon roman qui attendait le *climax*, l'événement paroxystique qui, sur le plan dramaturgique, ferait avancer, voire *basculer* l'histoire, seulement quand nous sommes arrivés dans le hall de son immeuble, je suis tombée nez à nez avec l'ami d'enfance d'Adam et j'ai cru que j'allais me désintégrer sur place.

Je ne sais pas comment je me suis tirée de ce merdier.

Je ne sais pas non plus si l'ami d'Adam a cru un seul mot du pipeau que je lui ai sorti pour justifier ma présence dans cet immeuble, à une heure si tardive, avec un inconnu, mais ce qui est sûr, c'est que ce soir-là j'ai compris que Paris était minuscule, et que je ne pouvais plus prendre de tels risques. Si je voulais continuer de voir *le cancer* jusqu'à la fin de l'écriture de mon roman, il fallait quitter la capitale avec lui. C'est là que m'est venue l'idée de la maison de mon père à Marrakech... C'était une idée complètement folle parce que mon père détestait ce personnage, il me l'avait expressément formulé, il m'avait mise en garde contre lui et demandé de ne plus le voir, mais cette maison restait la seule qui pouvait nous accueillir : elle était loin, elle était grande, et il n'y avait jamais personne, pas même mon père qui se trouvait, m'avait-il dit, en Asie jusqu'à la fin du mois de juin. Dès le lendemain matin, j'ai donc annoncé mon départ à Adam. Je pensais que dans l'inquiétude où il se trouvait par rapport à ma santé, cette décision n'allait pas du tout lui plaire, mais en réalité, non, elle a même eu l'air de le soulager. L'ambiance était devenue si tendue entre nous qu'il devait se dire *c'est bien, c'est très bien qu'elle parte, elle va pouvoir ne faire que ça, n'être dérangée par rien, et plus vite elle aura terminé d'écrire, plus vite on reprendra une vie normale*. Tous ceux et celles qui vivent avec des gens qui écrivent se disent cela.

Quand Adam a eu passé la porte, j'ai immédiatement décroché mon téléphone, composé le numéro du *cancer*, et je lui ai proposé de venir passer quelques jours avec moi à Marrakech. Il a été pris de court et a laissé passer un blanc. J'ai songé que c'était le moment d'être bonne, parce que si j'arrivais à le faire venir, je tenais la fin de mon livre.

— J'ai vraiment envie que tu m'accompagnes, ai-je insisté. Et puis tu sais, je ne te l'ai pas dit, mais ça y est, j'ai quitté mon mari.

J'ai quitté mon mari. Oui, je lui ai sorti cette phrase énorme, et j'ai eu l'impression que mon corps entier s'était fait cryogéniser.

Le cancer a laissé passer un autre blanc. Visiblement, il n'en revenait pas. D'ailleurs, pour être bien sûr, il a demandé :

— Tu as quitté le premier homme ?

— Si je te le dis ! Maintenant, il faut que je me dépêche de trouver un appartement. D'ailleurs si t'as un plan, n'hésite pas. Bon alors, réponds, tu viens à Marrakech ou pas ? Allez, viens, je te paye ton billet !

C'était l'autre argument clef, il aimait tellement se faire inviter partout. Il a émis un petit rire de contentement, puis il a dit que je n'aurais qu'à lui envoyer les horaires et le numéro du terminal par texto.

Trois jours plus tard, nous étions assis côte à côte dans un avion qui survolait la Méditerranée.

Une chaleur écrasante nous a cueillis dès la sortie de l'avion. La température avoisinait les quarante-cinq degrés et dans les effluves de kérosène, le tarmac semblait fondre. Nous avons passé la douane sans encombre. Dehors, le gardien de la maison de mon père nous attendait avec une pancarte. Nous ne nous connaissions pas puisque c'était ma première visite, et pourtant, une fois que je me suis présentée à lui, il a eu l'air surpris de constater que les filles n'étaient pas là. Mon père lui avait sans doute montré des photos d'elles. Il nous a dit :

– Dommage, pourquoi vous ne les avez pas emmenées ?

Il prenait donc *le cancer* pour Adam. J'ai bafouillé, répondu que les filles étaient à l'école ; le gardien a rétorqué :

– Ah oui, bien sûr, c'est important l'école. Et puis je vous comprends, c'est bien aussi, de temps en temps, de profiter tous les deux, sans enfants. Les enfants au prochain voyage, inch'Allah !

– Oui, inch'Allah ! a répondu *le cancer* en se marrant.

Nous avons pris la direction de la médina. Elle ne se trouvait qu'à quelques kilomètres, mais la circulation était dense, les voitures roulaient cul à cul, et les solex chevauchés par des familles entières slalomaient entre, comme les charrettes tractées par des ânes que les vieux hommes de l'Atlas, au visage buriné par le vent et le soleil, fouettaient sans ambages. À un feu, l'un d'eux s'est retrouvé à notre hauteur. *Le cancer* s'est mis à l'observer derrière la vitre teintée. Plusieurs fois, il a souligné la beauté de cet homme, m'invitant à en juger par moi-même, puis il a plaint sa condition et dit qu'il serait toujours du côté des pauvres, le côté où il était né – qu'il détestait les riches. Il s'était tourné vers moi pour dire cela, *je déteste les riches*, et j'ai bien compris qu'à ses yeux, je les incarnais tous. Il m'avait pourtant l'air bien à son aise dans son siège en cuir, les jambes étendues à leur maximum et le visage au vent frais de la climatisation, ce que je n'ai pas manqué de lui faire remarquer.

– Mais que tu es bête !, m'a-t-il répondu. Ce n'est pas parce qu'on déteste quelque chose qu'on ne peut pas en profiter. Bien au contraire.

La voiture nous a laissés à l'entrée du souk, place Jemaa el-Fna ; elle ne pouvait pas aller plus loin.

Nous avons marché quelques mètres en plein soleil, dans la chaleur suffocante, avant de pouvoir nous engouffrer dans les ruelles ombragées de la médina et échapper à cette impression, détestable, de cuire littéralement. Le gardien de mon père ouvrait la marche. *Le cancer* m'a galamment fait signe de le suivre, mais j'ai décliné la proposition : il était mon personnage et je le voulais devant moi. Sous mes yeux. Je voulais pouvoir tout noter de lui parce que c'était l'objet même de ce voyage, le scruter, l'étudier, le dépecer, le décortiquer – *le vider de sa substantifique moelle* ; cela fait, j'étais sûre que je réussirais à en tirer quelque chose. Et cette certitude était source d'une telle jubilation qu'aujourd'hui encore, je me rappelle ce moment dans les moindres détails, comme si je ne l'avais pas seulement *vu et vécu*, mais filmé. Je me souviens par exemple qu'il portait une chemise blanche à fines rayures bleu ciel bon marché, type Celio ou Cotton Park, un jean beige sans ceinture, de grosses chaussures de marche mal cirées, et que des disques de transpiration étaient apparus au niveau de ses aisselles, semblables à des taches d'encre claire sur un buvard. Il transpirait beaucoup. De grosses gouttes de sueur ruisselaient le long de sa nuque, si je m'approchais un peu, j'arrivais même à sentir l'odeur âcre qui s'en dégageait, une odeur mêlée d'oignon et de vin blanc que son parfum pour homme n'avait pas réussi à éteindre, mais je préférais garder mes distances, c'était comme utiliser la bonne focale :

ça me permettait d'avoir une vue d'ensemble. Sa silhouette était celle d'un homme de son âge qui ne faisait pas d'exercice. Ses fesses étaient plates et larges, ses hanches noyées sous une honnête ceinture de gras, et ses épaules tombantes comme deux accents, l'un aigu et l'autre grave. C'était peut-être pour cela qu'il ne portait jamais de veste : il aurait dû les faire faire sur mesure et il préférait s'acheter des livres. Il ne mettait que des chemises et des pulls, et des jeans, mais d'ordinaire d'un bleu brut, dans lesquels ses cuisses m'avaient toujours semblé bien moins puissantes, or là, de dos, on aurait dit vraiment celles d'un rugbyman en dépit de la raideur qu'il avait dans l'une, et qui était due à des douleurs d'arthrose que lui donnait son genou. Dans la chemise à rabats transparente qu'il tenait à la main et qui contenait un texte manuscrit ainsi qu'un livre, je pouvais deviner sa boîte d'Ixprim, un analgésique opioïde qu'il prenait matin et soir. On continuait de s'enfoncer dans la médina et il disait que c'était un vrai labyrinthe, que jamais il ne retrouverait son chemin. Ça avait l'air de l'angoisser. Moi, ça m'amusait plutôt, et je profitais du fait qu'il se soit mis à marcher à mes côtés, la rue s'étant élargie, pour enregistrer le décor, mémoriser la lumière qui faisait plisser les yeux, le rouge délavé des façades, et le rose, et l'ocre, et le bois travaillé des portes, toutes ces couleurs de terre qui disaient immédiatement l'Orient, comme le silence du jour à son milieu ou l'apparition d'une femme entièrement voilée de noir. Rien n'échappait à mon regard. La moindre inscription sur un mur, le moindre petit chat qui fusait à l'angle d'une rue étaient soigneusement archivés dans la boîte noire de mon cerveau, et cela avec une telle méthodologie que la personne que j'étais devenue me faisait peur. Je n'avais plus le même rapport au monde. La vie avait perdu toute gratuité, et ce qu'elle me donnait désormais à voir et à sentir ne l'était plus que *pour le livre*.

*

La maison de mon père se trouvait dans un *douar* en retrait des commerces, au calme. Je n'y avais encore jamais mis les pieds, mais lorsque nous y sommes entrés, *le cancer* a dit *j'ai l'impression d'être à la fin d'*Un vrai salaud et j'ai été d'accord avec lui : elle était exactement telle que je l'avais imaginée, d'un luxe qui imposait la déférence. Il a dit aussi :

– J'adore l'idée d'être dans ton roman !

Il pensait au précédent, bien sûr, sans se douter une seconde qu'il serait tout entier dans le prochain, et cette innocence a augmenté encore l'excitation dans laquelle cette situation me mettait. Je réalisais que les rôles s'étaient réellement inversés, que oui, c'était réellement lui maintenant l'insecte, plus moi, et moi, plus lui, qui allais enfin pouvoir jouer à lui arracher les pattes puis les ailes – *chic alors !*

Nous avons traversé une première cour où s'épanouissait un gigantesque magnolia avant d'accéder à un second espace à ciel ouvert pavé de zelliges avec une fontaine au centre, et de l'autre côté de celle-ci, devant l'entrée de ce qui devait être la bâtisse principale, une femme vêtue d'une blouse noire, d'un tablier blanc et d'une petite coiffe assortie nous attendait : Rachida, la gouvernante.

– On a donc fait un voyage dans le temps, a murmuré *le cancer*, pas dans l'espace. Nous voilà revenus à l'époque des colons.

Je n'ai pas relevé et préféré embrasser « l'Arabe », comme aurait dit Camus, qui m'ouvrait grand ses bras. À elle aussi, mon père avait beaucoup parlé de sa fille et de ses petits-enfants. Quand elle a eu fini de me le dire, elle a salué chaleureusement « monsieur Adam ». J'ai eu honte, je suis devenue écarlate, mais je n'ai pas eu le courage de rétablir la vérité.

Nous sommes entrés dans la maison. Il y faisait une fraîcheur de cave, délicieuse. Sur une table ronde, couverte d'une jolie nappe brodée, Rachida avait disposé une assiette de fruits secs – abricots, noix, amandes, dattes Medjoul – ainsi que du pain marocain à tremper dans de l'huile d'olive et du thé à la menthe. Je me suis assise, je mourais de faim. J'ai commencé à manger. *Le cancer*, lui, restait debout. On aurait dit qu'il ne voulait surtout pas perdre sa taille, que c'était sa seule richesse, sa seule dignité au milieu de tout ce faste, et le mot « colon » qu'il avait prononcé quelques minutes plus tôt m'est revenu à l'esprit. Sur le coup, je m'étais dit qu'il faisait référence aux Français d'Algérie. D'ailleurs, je ne me l'étais même pas *dit*, pour moi ça tombait sous le sens, mais maintenant je ne savais plus ; peut-être que *le cancer*, en choisissant ce mot, avait voulu parler des Israéliens installés en Cisjordannie, allez savoir. Il parlait tellement souvent d'eux dans ses articles. Avec Belgrade et les romans des filles qu'il avait envie de séduire, c'était l'un de ses thèmes favoris : *les colons israéliens*. Mais il ne disait presque jamais *les colons*, et encore moins *les Israéliens*. Il disait *les juifs religieux,* ou alors *les juifs orthodoxes.* Une fois, il avait même dit *les juifs* tout court, et m'en souvenant, sans bien savoir pourquoi, j'ai eu le réflexe de glisser à l'intérieur de mon chemisier la petite maguen David de ma mère, celle que je portais autour du cou depuis sa mort. C'était une étoile qui appartenait à ma grand-mère Dorit, laquelle la tenait de sa mère qui la lui avait offerte en guise de porte-bonheur, le jour où elle avait fui Odessa et ses pogroms pour rejoindre la patrie des droits de l'homme. C'était juste après l'accession de Blum au pouvoir, en septembre 1936. On disait alors, dans tous les shtetls d'Europe centrale, *Heureux comme Dieu en France.*

– T'as pas honte, a dit *le cancer* en me voyant faire.

– Quoi ?

– Porter l'étoile aujourd'hui ! Non, mais franchement, c'est d'un mauvais goût... J'en connais qui seraient interdits de spectacle pour moins que ça. Bon allez, je vais me reposer. Tu me dis où est ma chambre ?

Rachida qui nous croyait mari et femme nous avait évidemment mis dans la même. Il fallait donc continuer à jouer le jeu et dormir ensemble – option que *le cancer* rejeta violemment comme s'il avait quelque chose à me cacher, *quelque chose d'impossible à me montrer*, ce qui était le cas, effectivement, mais quoi, jamais je n'aurais pu m'en douter – ou bien alors expliquer à Rachida qu'il y avait eu un énorme malentendu, que l'homme qu'elle voyait avec moi n'était pas Adam mais un *cancer*, oui, oui, elle entendait bien, un cancer comme la maladie – *mamaladie*. J'ai finalement préféré lui raconter que mon mari et moi faisions chambre à part. C'était plus simple bien qu'elle fît une tête bizarre, et *le cancer* fut aussitôt conduit dans la sienne. Quelques minutes plus tard, je rejoignais la mienne. C'était une pièce sombre mais très haute de plafond, dans les dégradés de vert, et qui se trouvait au deuxième étage d'un bâtiment annexe à la maison principale. Je ne savais pas si mon homme avait été installé dans cette aile, lui aussi. Comme je l'ai déjà dit, je ne connaissais pas les lieux, et je n'avais pas demandé à les visiter en arrivant. J'étais donc chez mon père comme dans une demeure étrangère, incapable de me repérer. Cette méconnaissance de l'espace rendait les choses étranges... Un peu effrayantes aussi, car j'avais la sensation que Benoît Parent pouvait débarquer à tout instant, ou au contraire s'en aller sans que j'en sois informée – il était le héros de mon roman, mais je n'avais aucune prise sur lui.

Les premières nuits, je me réveillai plusieurs fois en sursaut. Convaincue d'avoir entendu du bruit, j'allais coller mon oreille contre ma porte et je me racontais qu'il était là, juste derrière, et qu'il attendait d'être certain de mon sommeil pour entrer et me voler mon ordinateur. Il voulait me dérober ce que j'avais déjà écrit sur lui. Il avait tout compris, j'en étais sûre. Il m'avait démasquée, et il était venu au Maroc dans cette seule optique, pour faire échouer mon plan, sinon pour quelle autre raison ? Il n'avait même pas tenté de me mettre dans son lit ! Ma paranoïa s'alimentait toute seule dans le silence de la nuit et à vingt reprises, pieds nus, en T-shirt et le cœur battant, je m'étais retrouvée dans le couloir à voir si je ne le trouvais pas.

Mes journées ne valaient pas mieux. Il faisait une chaleur atroce, je manquais de sommeil, sa présence me stressait et je n'arrivais pas à écrire. En fait, j'avais l'impression qu'il était sans cesse au-dessus de mon épaule. Qu'il lisait mes mots au fur et à mesure que je les tapais sur le clavier, approuvant parfois d'un petit signe de tête ou au contraire haussant les sourcils d'étonnement – *non mais qu'est-ce que tu racontes ? n'importe quoi !* – et voilà qu'humiliée, j'effaçais tout, toute la page, il n'y avait plus qu'à recommencer. Dans ces moments-là, je comprenais alors, et avec beaucoup de tristesse, combien j'avais davantage envie de lui plaire que de le démolir. Ce texte n'était rien d'autre qu'une opération de séduction, ce qui de fait le condamnait d'entrée de jeu à l'échec car, je le savais bien, l'écriture ne peut s'embarrasser du regard de personne ; l'écriture n'est jamais autre chose qu'un face-à-face avec soi-même. Pour réussir, il fallait donc être capable de l'oublier. Il fallait se moquer de lui, de son avis, mais en même temps continuer d'être dans l'obsession de sa personne puisqu'il était l'objet du livre, et cette contradiction, si elle était possible, ne se réaliserait qu'avec le temps, en prenant de la distance. On ne pouvait pas espérer se sauver en écrivant un livre. C'était impossible. Cela ne voulait rien dire. Écrire n'était pas une thérapie. Écrire ne soignait de rien, il fallait d'abord guérir. Mais n'étais-je pas trop orgueilleuse pour accepter cette vérité ? Sans doute, puisque je continuais de m'acharner, huit heures par jour, devant mon ordinateur, avant de le rejoindre à la tombée de la nuit sur le toit-terrasse où je le trouvais toujours vautré sur le lit indien, la tête plongée dans son *Histoire de la révolution russe*.

– J'adore l'idée de lire Trotski dans cette maison de capitalistes ! me disait-il. Ça me donne le sentiment de trahir un peu moins ma classe. Mais tu devrais le lire aussi, c'est un écrivain merveilleux. Il décrit les foules comme personne. Et il n'a pas que des défauts : il est marxiste, mais *juif.*

Je ne répondais rien. Je ne répondais plus *jamais* rien quand il disait ce mot. Il le disait si souvent que j'avais décidé de ne plus relever. De rester lisse. De faire comme si je ne l'avais même pas entendu. Ça le rendait fou.

– Quoi ? me lança-t-il un soir. Ça va, ne t'étouffe pas ! Oui, Trotski était juif, non mais qu'est-ce que tu crois ? Il n'y a pas de juifs que du côté de chez les Rothschild, il y a en a aussi parmi les pauvres ; peu, je te le concède, mais il y en a. Est-ce que tu sais au moins comment s'appelait le juif Trotski, à l'origine ?

– Non.

– Non ?! Eh bien il s'appelait Lev Davidovitch Bronstein, ça ne s'invente pas, n'est-ce pas ? Heureusement que Staline l'a fait buter en 1940 à Mexico, sinon il aurait été le premier à monter dans le train.

Il s'était mis à ricaner crânement, content de sa blague vaseuse, et de peur qu'une fois de plus, il me reproche mon manque d'humour, je m'étais sentie obligée de rire un peu avec lui. Il s'était fait monter une bouteille de chablis par Rachida. Il en avait déjà sifflé la moitié. Une fois son rire calmé, il se servit un autre verre, en but tout de suite les trois quarts, et poursuivit :

— En tout cas, c'est vraiment une manie, chez vous, de changer de nom. À ce propos, *L'Encyclopédie des changements de noms* d'Emmanuel Ratier est épatant. J'adore ce livre ! Dans ta famille, c'est arrivé en quelle année ?

— On n'a pas eu le temps d'en changer, on est montés dans le train avant.

— Ah, ah, très bon ! Très, très bon, excellent ! Tu vois que tu peux être drôle quand tu fais un petit effort ! Et pourquoi Bronstein a-t-il choisi Trotski, dis-moi un peu ?

— Je ne sais pas.

— Tu t'appelles Odessa en deuxième prénom, je l'ai vu sur ton passeport, et tu ne sais même pas que Trotski a été emprisonné dans cette ville du bord de la mer Noire ? Mais comment veux-tu que je puisse tomber amoureux de toi ?! Trotski, c'était le nom d'un de ses gardiens, *ignarde* !

Maintenant il répétait mon deuxième prénom tout doucement, en détachant chaque syllabe, comme pour lui trouver du sens. Il commençait à être vraiment saoul, c'est-à-dire vraiment sincère, et je craignais le pire. Je m'étais mise à boire aussi pour atténuer les coups éventuels. Je pouvais le voir au travers du cristal de mon verre. Son visage était légèrement déformé, pourtant j'avais la sensation qu'il m'apparaissait là dans toute sa vérité : un ovale brut et massif, des traits taillés à l'Opinel, comme pour aller à l'essentiel, des yeux minuscules qui ne diraient jamais rien et tout le reste dans le sourire, carnassier, sans lèvres – obscène.

Je reposai mon verre. Il dit :

– Non mais quelle idée, franchement, d'appeler sa fille Odessa… T'aurais pu leur faire un procès, à tes parents. Et Odessa pour quoi, d'ailleurs ?

Il avait pris le temps de sourire, puis émis cette hypothèse si malvenue :

– Pour *Organisation der ehemaligen SS-Angehörigen*, l'organisation SS qui exfiltrait des anciens criminels nazis dans le film de Ronald Neame, *Le Dossier Odessa* ?

– C'est ça. Et puis peut-être aussi pour les victimes du pogrom d'octobre 1941. Plus de cent mille juifs ont été tués en quelques jours dans cette ville par l'armée roumaine, dont dix-huit membres de ma famille maternelle. Ma grand-mère avait fait promettre à ma mère, le jour où elle aurait une fille, d'honorer leur mémoire. Et ma mère a tenu sa promesse.

– Ah, bah sympa, ta grand-mère ! s'exclama *le cancer*. Elle aurait pu demander Birkenau aussi, c'était bien. C'était deux millions et demi de victimes au bas mot en quatre ans. Et la vie va comment, madame-le-mausolée ? T'as des gens qui viennent te voir en pèlerinage ? T'accueilles des sorties scolaires ?!

À cette dernière provocation, il éclata d'un rire hilare en même temps qu'il tapa la table du plat de sa main, puis il s'en écarta en faisant basculer sa chaise vers l'arrière, et les jambes dans le vide je crus un instant qu'il allait perdre l'équilibre. Il finit par revenir à sa place. Ses yeux roulaient sous ses paupières, il avait du mal à les maintenir ouvertes, et l'on ne voyait presque que du blanc. Il lui restait un vague souvenir de sourire sur les lèvres. Il ne disait plus rien. Une tristesse crasse semblait l'avoir enseveli, et moi avec. Tout ce qu'il me disait chaque jour sur les juifs me dégoûtait tellement... Me dégoûtait de moi, surtout, qui ne le faisais pas taire alors que j'avais passé tant d'heures à expliquer à des mômes de banlieue que l'antisémitisme n'était pas une opinion mais un délit, et j'avais beau me répéter, pour me déculpabiliser, que je gardais le silence dans le seul dessein de rapporter ses propos infâmes dans mon roman, je savais bien que je n'y arriverais pas. Car est-ce qu'un personnage comme le sien, éditorialiste dans un grand journal respecté, juré de prestigieux prix littéraires, auteur de romans couronnés pouvait, en 2015, dire en privé des choses aussi abjectes sur les juifs ? Non, ce n'était pas crédible une seconde. Si j'écrivais cela dans un roman, personne n'y croirait. On me traiterait de folle, lui passerait pour une victime, et se vengeant, il rédigerait un article plein d'humour dans lequel il expliquerait qu'aujourd'hui en France, les juifs se sentaient si persécutés qu'on ne pouvait même plus ne pas coucher avec eux, sans quoi ils finissaient par écrire des livres dans lesquels ils vous accusaient d'être anti-sémite – même moi, il réussirait à me faire sourire.

Nous étions à Marrakech depuis une semaine quand, un soir, tandis que nous dînions sur la terrasse qui dominait les toits de la médina, mon téléphone a sonné. Il était posé sur la table, entre nous. *Le cancer* a tout de suite vu le nom d'Adam s'afficher et il m'a dit :

– Ben vas-y, réponds ; qu'est-ce que t'attends.

J'ai eu l'impression que si je ne le faisais pas, il allait se douter de quelque chose et j'ai décroché. La conversation a duré deux minutes à peine. Je ne sais pas – *je ne sais plus du tout* ce que nous avons pu nous dire, ni si Adam a compris que je n'étais pas seule, mais quand j'ai mis fin à cet appel, *le cancer* m'a demandé :

– Pourquoi est-ce que tu m'as menti ?

J'ai fait comme si je ne comprenais pas. Ça l'a agacé. Il a dit :

– C'est bon, j'ai pas de temps à perdre avec les préliminaires. Tu m'as menti, tu n'as jamais quitté ton mari. J'aimerais savoir pourquoi.

J'aurais voulu être capable de tenir encore un peu. Seulement, je savais bien que cela ne servait à rien, et quand juste après cette phrase, il m'a dit *tu vas me dire aussi pourquoi tu m'as fait venir ici,* très calme, j'ai répondu :

– Parce que j'écris sur toi.

– Ah oui, a-t-il dit. Et t'écris quoi ?

– La vérité. Que tu ne baises pas.

Le blanc qui a suivi m'a semblé interminable. On aurait dit qu'il venait de se prendre un coup. Et même une balle – j'avais pour la première fois réussi à l'atteindre. C'était du moins le sentiment que j'avais, mais il ne m'a pas laissée le garder très longtemps.

– Ça tombe bien, a-t-il repris, moi aussi.

– Toi aussi quoi ?

– Moi aussi, j'écris sur toi.

C'était donc pour cela qu'il ne voulait pas qu'on partage la même chambre ? Parce que la nuit, il écrivait ? *Écrivait sur moi ?* Comment n'y avais-je pas pensé, nom de Dieu ?! Ces mots ont commencé à tourner en boucle dans ma tête et j'ai eu l'impression que le sol s'ouvrait sous mes pieds, puis j'ai eu cette vision atroce d'Adam dans une grande librairie, découvrant sa femme dans le livre d'un autre. Oui, il était là devant mes yeux, mon doux mari, debout au milieu des rayonnages, voûté, vieilli par chaque mot qui le terrassait un peu plus, et je n'ai eu qu'une envie, crier *non, je t'interdis, tu ne peux pas, tu n'as pas le droit de faire une chose pareille* – un livre, c'est tellement pire qu'un lit !

– Et t'écris quoi sur moi ? ai-je quand même trouvé la force de lui demander.

Il a pris quelques secondes pour me répondre, histoire de prolonger le plaisir, puis il a dit, en souriant :

– J'écris que tu baises. Parce que c'est la seule façon de te baiser vraiment.

Et après cela, il s'est levé et m'a laissée seule avec le chant des percussions qui s'élevaient, hypnotiques, de la place Jemaa el-Fna.

Je suis restée un moment paralysée, le cœur battant à tout rompre, comprenant que mon plan venait de s'effondrer, qu'une fois de plus il m'avait eue, que non seulement je n'étais pas arrivée au bout de mon livre mais que j'allais maintenant me retrouver dans le sien, et que c'était pour cela, évidemment, qu'il avait accepté de venir avec moi au Maroc, pour m'étudier, me scruter, me dépecer, *me vider de ma substantifique moelle* – comment ne l'avais-je pas anticipé ? Comment avais-je été aveuglée, grisée par le pouvoir que me conférait l'écriture au point d'oublier qu'il avait exactement le même, qu'il écrivait lui aussi, et qu'il pouvait donc, lui aussi, faire de moi ce qu'il voulait ? Allait-il maintenant, pour me punir de lui avoir menti, appeler Adam et lui dire que nous étions ensemble dans la maison de mon père ? Il en était capable. Il avait sa carte de visite. Donc son numéro. Et m'en souvenant, je me suis levée d'un bond, puis j'ai couru vers les escaliers pour l'en empêcher. Couru comme une folle. Comme une dératée. Couru si vite que le giron des marches a semblé disparaître, ne laissant que les nez glisser sous mes plantes, et à un moment donné j'ai dû en rater une car j'ai basculé vers l'avant, puis aussitôt vers l'arrière sous l'effet d'un coup de rein que j'ai donné *in extremis*, mais cela ne m'a pas permis de retrouver mon équilibre et je me suis vue chuter de tout mon poids dans la volée en haut de laquelle je me trouvais, dévaler les marches sur le flanc jusqu'au palier de l'étage inférieur où la douleur que j'ai ressentie dans l'épaule m'a fait perdre connaissance – je venais de me la briser.

On m'annonça la bonne nouvelle trois heures après cette chute, au bloc opératoire de l'hôpital Ibn Zohr, dans le quartier Sidi Mimoun de Marrakech. La souffrance était telle que, jetée sur un brancard au beau milieu d'un couloir, j'appelai ma mère au secours, morte depuis vingt ans. Les infirmières durent avoir pitié de moi, ou juste envie de ne plus m'entendre, et elles finirent par m'administrer une dose de morphine qui me fit avoir un fou rire. C'est vrai que c'était drôle : j'allais devoir passer les huit prochaines semaines avec le bras en écharpe – le bras de la main avec laquelle j'écrivais, évidemment –, ensuite de quoi, et si seulement tout allait bien, il me faudrait une quarantaine de séances chez le kinésithérapeute pour en retrouver l'usage normal. L'anesthésiste m'informa qu'il allait me piquer. Une seconde plus tard, je sentis une source de chaleur irradier mon bras. Au-dessus de ma tête, le scialytique projetait une lumière sans ombre, aveuglante, qui me fit penser à celle que décrivent tous ceux qui ont connu une expérience de mort imminente. Je luttai un instant pour ne pas la perdre de vue, puis mes paupières s'abaissèrent malgré moi, et ma dernière pensée fut que je serais privée d'écrire pendant au moins six mois. Cela signifiait que je n'écrirais jamais cette scène de rupture avec Adam, la première scène qui m'était venue à l'esprit après avoir terminé la lecture de *Passion simple* d'Annie Ernaux. L'écriture était donc comme la vie : on s'imaginait qu'on maîtrisait les choses, qu'on avait ce pouvoir d'influer sur nos destins mais, en vérité, on ne décidait jamais de rien ; ce qui devait être advenait, et ce qui n'avait pas de raison d'exister finissait toujours, de lui-même, par s'éteindre.

Je suis arrivée à Paris un dimanche au petit matin, il faisait une chaleur caniculaire. Je n'avais rien dit à Adam à propos de mon accident. Je n'en avais pas eu la force. J'ai donc débarqué à l'appartement sans le prévenir, avec ma mine défaite, mon bras scellé au corps, mon gilet d'immobilisation qui m'emprisonnait le torse de la taille au cou et, dans le regard de mon mari, j'ai vu tout à coup celui de mon père le jour où, vingt ans plus tôt, j'avais fait le mur, eu un accident de Chappy, et qu'il avait dû venir me récupérer aux urgences de Lariboisière. Mon père, cette nuit-là, ne m'avait fait aucun reproche. Il n'avait manifesté ni peur, ni colère, ni déception ; il avait juste paru *dépassé* par les événements, ce qu'Adam semblait être aussi, et je m'étais sentie exactement comme je me sentais maintenant – *une petite conne.*

Adam m'a demandé pourquoi je ne l'avais pas appelé après ma chute. Ni le lendemain à l'hôpital, il était médecin tout de même. J'ai répondu que je n'avais pas voulu l'inquiéter et je suis allée dans notre chambre pour prendre une douche – je n'avais envie que de cela. Par chance, nous étions seuls ; les filles étaient parties pour le week-end chez des amis à la campagne. J'ai commencé par retirer mes chaussures, mais pour le reste, seule c'était impossible, et Adam m'est venu en aide. Il m'a délicatement enlevé mon T-shirt, puis il a déboutonné mon jean, l'a fait glisser sur mes hanches, je me suis alors assise au bord du lit et il m'a libéré les jambes. C'est lui aussi qui m'a fait couler mon bain. Qui m'a mise dedans. Qui m'a relevé les cheveux pour que je ne les mouille pas et qui m'a frotté toutes ces parties de mon corps auxquelles je n'avais plus accès. Ce bain a été, je crois, le moment le plus douloureux de toute cette histoire. Bien plus douloureux encore que la souffrance physique atténuée en partie par les antalgiques, ou même l'impossibilité matérielle d'écrire dans laquelle je me retrouvais et qui, par conséquent, m'obligeait à renoncer à mon projet de roman, car c'était la douleur d'être désormais *dépendante*. La douleur insupportable d'entrevoir tous ces jours où j'allais devoir accepter qu'Adam me déshabille encore, me lave, m'habille, me conduise, me coupe ma viande, et même si je savais qu'il le ferait avec le plus de respect possible, j'aurais toujours l'impression que chacun de ses gestes me dirait *Émilie, tu as voulu quitter la*

maison, tu as voulu partir écrire ton livre, t'éloi-
gner de moi, et je t'ai laissée faire, je n'ai pas émis
la moindre objection, mais regarde le résultat, loin
de moi, qu'as-tu fait, sinon perdre l'équilibre et
te briser l'épaule ? Et encore, cette fois, tu as eu
de la chance, tu aurais pu mourir, tu sais, et si tu
me quittes, c'est ce qui arrivera : tu en mourras.
Voilà la seule leçon que tu dois retenir de cette
histoire. Tu ne peux pas vivre sans moi, Émilie.
Tu croyais que tu pouvais, mais tu t'es trompée,
regarde comme tu t'es trompée, maintenant même
pour te laver, tu as besoin de moi – ah, ah, ah.

Je suis sortie du bain, la chaleur avait encore
augmenté, et j'ai ouvert en grand les fenêtres qui
donnaient sur l'immense jardin classé des voisins.
Une explosion de vert a alors envahi la pièce. Les
arbres n'avaient pas été taillés. Leurs frondaisons
entraient presque dans le cadre, et leurs cimes se
touchaient dans le ciel qu'on ne voyait plus : on
aurait dit un petit bois en plein Paris. Un pigeon
roucoulait quelque part. C'était peut-être le même
que d'ordinaire. J'adorais entendre ce pigeon dans
le silence, et j'ai pensé que si je devais un jour
quitter cet appartement, ce serait cela qui me man-
querait le plus : ce chant, et la musique de l'eau,
enchanteresse, qui s'écoulait de la jolie fontaine en
pierre. J'ai marché jusqu'à mon placard, regardé
ce que je pouvais mettre, et choisi ma petite robe
noire à fines bretelles : c'était ce qu'il y avait de

plus léger, de plus simple aussi à enfiler puis, allez
savoir pourquoi, j'ai dit à Adam :

— Et qu'est-ce qu'on va faire pour les grandes
vacances ?

— Tu te moques de moi ? a-t-il rétorqué en faisant passer ma tête dans l'encolure de la robe. Ça
fait des semaines que je te pose la question, tu ne
me réponds jamais. Je ne comprends pas, d'ailleurs, pourquoi tu traînes comme ça.

J'avais envie de lui dire que j'allais le faire, qu'il
ne s'inquiète pas, que des plans de dernière minute
pour les vacances, il n'y avait que ça sur internet,
mais je voulais d'abord qu'il choisisse une desti-
nation, moi, je n'avais pas d'idée.

— Donne-moi une idée d'endroits.

J'ai enfilé toute seule, comme une grande, mes
spartiates noires et sans boucles, puis je suis passée
dans la salle de bains pour me maquiller. La tache
brune qui était apparue sur mon front durant l'hiver était toujours à sa place, et je me suis dit que
bientôt il y en aurait plein d'autres, jusqu'au matin
où sur mon visage il ne resterait rien de ma jeunesse. Tout passait si vite... Il fallait se dépêcher
de vivre.

— Non mais t'entends pas quand je te parle ? a
dit Adam qui se tenait derrière moi, dans l'embrasure de la porte. Je t'ai proposé la planète entière.
L'Italie, l'Espagne, la Grèce, je t'ai même envoyé
par mail le site d'un hôtel en Grèce, t'as regardé ?

Non, je n'avais pas regardé, et pourtant j'ai eu à ce moment-là le sentiment étrange et dérangeant d'avoir déjà tout vu : les jolies maisons blanches aux volets bleus, les pergolas fleuries de bougainvilliers, les femmes en noir assises à l'ombre dans le silence de l'après-midi et les petites barques flottant dans la rade, semblables à des coques de noix. Était-ce sur ce site dont me parlait Adam ou dans ma tête ? Je ne savais plus... Je savais seulement qu'Adam allait répéter *tu as regardé ?* et c'est exactement ce qui est arrivé :

– Tu as regardé ? m'a-t-il demandé.

Alors je suis devenue blême. J'ai commencé à paniquer. Et j'ai dit tout bas :

– C'est affreux, j'ai l'impression d'avoir déjà vécu cette scène.

Mais le fait de le dire n'a rien changé. Les choses ont continué à se dérouler conformément au scénario que j'avais en tête, je suis sortie de la salle de bains, j'ai percuté Adam qui se trouvait sur mon chemin, il a commencé à s'énerver et les mots qui sortaient de sa bouche m'étaient si familiers que j'aurais pu les prononcer à sa place. Je connaissais son rôle par cœur. Je connaissais le mien aussi, je connaissais tout de ce qui nous arrivait, mais d'où, *d'où je connaissais tout cela ?!!* je n'arrivais pas à m'en souvenir et c'était à devenir dingue.

– Ok, j'ai trouvé, a lancé Adam. Puisque c'est comme ça, on n'a qu'à partir chez les Charment au-dessus de Nice. Il y aura Franck et Vanessa, ce sera sympa. Tu veux ?

Non, je ne voulais pas ! Je voulais juste que ce cauchemar s'arrête ! Je voulais appuyer sur la touche « Pause » et sortir de ce mauvais film, mais il n'y avait aucun moyen de le faire. J'étais entraînée par une force qui me dépassait, je ne maîtrisais plus rien, et bientôt, cette force m'a fait dire une chose énorme et sans appel, une chose que je n'aurais peut-être jamais dite en d'autres circonstances mais qui, là, est sortie malgré moi et cette chose c'était :

– C'est fini.

– Quoi ? s'est étonné mon mari. Qu'est-ce que tu as dit ?

– C'est fini entre nous, Adam. Je te quitte.

J'ai compris alors, en prononçant cette phrase, que je n'étais plus dans la réalité mais dans le roman que je n'avais pas pu achever en raison de mon accident à l'épaule, et j'ai eu la sensation horrible d'être passée du côté de la folie, car cela signifiait que je n'écrivais plus ma vie – ce qui était déjà en soi une maladie – mais que j'inventais des choses pour pouvoir les vivre, comme si mon existence ne suffisait plus, comme si à force de m'en être servie, je l'avais épuisée. Je ne savais pas comment la proposition de départ avait pu s'inverser à ce point. Comment, ni à quel moment, mon écriture avait commencé à nourrir ma vie plutôt que l'inverse, mais maintenant j'en étais là, coincée au cœur d'une toile arachnéenne que j'avais moi-même tissée, et je me retrouvais privée de mon libre arbitre. Je n'agissais plus selon ma volonté, mais sous l'emprise de mon imaginaire (ce que je venais d'annoncer à Adam me le prouvait violemment), et c'était terrifiant parce que cela voulait dire que l'écriture ne m'avait pas plus épargnée que tous ceux contre qui je la dirigeais : elle avait fait de l'auteur que j'étais une marionnette comme les autres ; elle m'avait transformée en un personnage de fiction et je comprenais donc que si l'écriture était une arme, l'arme pouvait très bien, et très facilement, se retourner contre vous.

Adam, lui, paraissait nettement moins décontenancé que moi par ce que je venais de lui annoncer. Et moins ébranlé aussi que ne l'aurait été son double dans le roman, si j'avais réussi à aller jusqu'à cette scène. En réalité, on aurait dit qu'il savait depuis le début que cette rupture adviendrait ; qu'il *l'attendait.* Et ainsi, il ne s'est rien passé de ce que j'avais envisagé. Il n'a exprimé aucune surprise, aucune souffrance d'ordre physique ; il n'a pas pâli ; ses lèvres ne se sont pas vidées de leur sang ; et il n'a pas eu besoin de s'asseoir sur le lit pour accuser le coup. Il a dit simplement :

– Tu as du courage. Moi, jamais je n'aurais été capable de prendre une telle décision. Pourtant, c'est comme avec mes patients en phase terminale : il y a un moment, il faut savoir s'arrêter, n'est-ce pas ? Après, ça devient de l'acharnement thérapeutique. C'est bien, je crois, qu'on ne s'acharne pas. C'est très bien. On a été un couple si vivant... Si joyeux. Et je voudrais tellement que nos filles gardent cette image de nous.

Adam n'a pas pu poursuivre.

Je me suis approchée de lui. Il m'a prise dans ses bras, puis nous sommes restés longtemps ainsi, blottis l'un contre l'autre dans le silence de notre chambre, comme deux amis dans celle d'un parent que la mort vient de laisser orphelins. Nous avions perdu notre couple et nous savions que le deuil serait infiniment long et douloureux, parce qu'avec cette entité, c'était aussi une partie de nous qui s'en allait. Il faudrait désormais apprendre à vivre sans ; à vivre *amputés*.

– Tu sais, a encore dit Adam, on n'était pas parfaits, mais on n'était pas nuls non plus. Je trouvais même qu'on avait un certain don pour le bonheur. En tout cas, j'espère que tu n'auras pas tout foutu en l'air juste pour écrire ce livre. Parce que même si rien, aujourd'hui, ne te paraît plus important, au final, ça ne sera jamais qu'un livre.

Adam avait raison, mais ma vie et mes livres étaient peut-être désormais si entremêlés que le problème ne pouvait plus se poser en ces termes. Et puisque je l'avais quitté, il fallait maintenant partir. Je me suis donc tout de suite mise en quête d'un appartement que j'ai trouvé quinze jours plus tard, et le lendemain du soir où j'ai eu les clefs, alors que nous n'avions encore annoncé à personne que nous nous séparions, pas même à nos filles, *le cancer* a réapparu. Il m'est tombé dessus au coin d'une rue, comme ça, par hasard, il portait toujours le même trois-quarts bleu marine, il avait bien évidemment un livre à la main et ce petit air timide qui m'avait tellement séduite au début. Les saisons passaient, mais lui ne changeait pas. Il restait fidèle à sa *silhouette*, c'était sans doute cela le secret pour ne pas vieillir, et j'ai pensé que malgré ce que j'avais traversé avec lui, tout pouvait recommencer. *Tout à l'identique.* D'ailleurs, quand il a décidé de m'emmener dans *not'café*, je n'ai pas protesté. Et je n'ai pas bougé non plus quand il m'a lancé :

– Bon. Maintenant que tu as vraiment quitté ton mari, on va pouvoir parler.

Je crois que j'étais trop stupéfaite. Comment pouvait-il savoir cela ? Avait-il appelé Adam ? S'était-il enfin servi de sa carte de visite ? Oui, *forcément*. Mais pour lui dire quoi ? Que nous étions partis ensemble au Maroc ? Si c'était le cas, il avait appelé trop tard pour abîmer quoi que ce soit, nous étions déjà séparés, Adam et moi, et j'ai compris que c'était donc cela, cette rage que je voyais dans ses yeux, c'était sa frustration, son empêchement à jouir du mal qu'il aurait pu nous faire s'il avait téléphoné quelques jours plus tôt, et j'ai su alors qu'il allait maintenant tenter de prendre sa revanche. Or, il ne disposait que d'un moyen pour cela : monter d'un cran dans l'abject.

– Je veux que tu deviennes ma femme, a-t-il dit. Je t'aime, je veux vivre avec toi, mais avant, il faut que tu laisses tes enfants.

– Pardon ?

– Je suis sérieux. Il faut que tu les laisses à leur père, je te dis ça pour leur bien. Elles seront très heureuses avec lui ; ils partiront vivre en Israël, ce sera beaucoup plus simple, et tu iras leur rendre visite pour les vacances. C'est pas si grave, c'est toutes les six semaines, les vacances.

– T'es complètement malade.

– Tu sais bien que non, puisque c'est comme ça que ça va se terminer pour les juifs de France. Sept mille juifs sont partis rien que cette année, c'est moi qui l'invente ? Bientôt, il n'y aura plus de juifs en France. *Plus un seul juif.* Tu te rends compte, un peu ? Le grand rêve de Vichy réalisé par des Merah, des Nemmouche, des Kouachi. Que des petits-enfants de bicots qu'on a fait venir du bled pour assembler des boulons, et qui feront mieux que les idéologues du Troisième Reich, sans même avoir besoin de vous mettre dans des trains. Tout ça simplement en jouant avec votre peur. Quelle intelligence ! Quelle économie, surtout. La France nettoyée pour pas un rond, dis donc.

– Cette histoire a déjà été écrite par Houellebecq, non ? J'ai toujours pensé que tu avais du talent, mais pas de génie.

– J'en aurai pour nous, mon amour. J'en aurai dans notre vie future, mais d'abord il faut que tu me promettes d'abandonner tes enfants, parce que qu'est-ce qu'on en ferait ici ? On ne va quand même pas les cacher dans la cave ? On ne va pas *recommencer* l'histoire.

Il parlait comme mon père. Il me disait exactement les mêmes mots que lui, c'était affreux.

– Embrasse-moi, je lui ai demandé.

– Tu veux recommencer l'histoire ? a-t-il répété.

J'ai hurlé :

– Embrasse-moi.

Ça voulait dire *stooooopppp !!! Je ne peux plus ! Tais-toi !* Ça voulait dire *ferme-la !, efface toutes les saloperies que tu viens de débiter*, et j'avais hurlé si fort que les têtes dans le café se sont toutes tournées vers nous. Comme une bête acculée qui n'avait plus le choix, *le cancer* a alors soulevé les fesses de sa banquette, puis il a penché son corps au-dessus de notre table, et dans ce lieu où neuf mois plus tôt tout avait commencé, pour la première fois, il a posé ses lèvres sur les miennes. Ça n'a duré que quelques secondes, mais c'était déjà trop. J'ai quitté le café et, une fois dans la rue, j'ai vomi tant que j'ai pu.

Quelques jours plus tard, je recevais par la poste une enveloppe de sa part. Il n'y avait pas de mot dedans mais un livre, en piteux état, de Pierre Dumontet : *La Fille de Compiègne*. Il avait dû le trouver sur les quais, au gré d'une de ses balades, ou peut-être au parc Georges-Brassens, qu'il fréquentait assidûment, et il avait tenu la promesse qu'il m'avait faite de me l'envoyer, au pied du *Baiser* de Brancusi, sur la tombe de cette autre Russe foudroyée, comme Dorit, par un chagrin d'amour. L'édition était originale, elle datait de 1961, qui était aussi la date de décès de ma grand-mère. Évidemment, j'ai tout de suite fait le lien, et il m'a semblé que le sens que je cherchais depuis des semaines à cette mauvaise rencontre se trouvait enfin là, entre mes mains, que je n'avais connu Benoît Parent que pour qu'il me donne à lire ce livre. Je l'ai lu la boule au ventre, d'une seule traite. C'était un très beau roman. Il racontait l'histoire d'amour passionnelle entre deux écrivains sous l'Occupation. Lui était français, de droite, bien installé déjà, il signait dans presque toute la presse collaborationniste. Bien entendu, il détestait les juifs. Tous les juifs, et peut-être plus encore cette jeune femme russe, originaire d'Odessa, dont le charme l'avait conquis et la culture impressionné : elle ne jurait que par Flaubert et Maupassant. Ils s'étaient rencontrés dans un cocktail littéraire quelques mois après son arrivée en France, en 1936, et tout de suite une passion charnelle était née entre eux. Pourtant, elle semblait ne pas beaucoup l'aimer. En vérité, on sentait tout au long du livre qu'elle le craignait. Elle s'était installée avec lui à Lyon sous une fausse identité, prétendant qu'elle était sa compagne, mais elle redoutait qu'il la dénonce. Il détenait en effet ce pouvoir, il en jouait beaucoup, comment aurait-elle pu avoir confiance ? Quant à lui, il se détestait d'avoir dans la peau une fille de cette race qu'il vomissait à longueur d'articles, de sorte que leur relation finissait par atteindre un degré de perversité insupportable. Et pourtant, à la fin, quand elle se faisait rafler à Lyon, puis qu'elle était transférée à Compiègne dans l'attente de sa déportation vers un camp nazi, c'était lui, en personne, qui venait la chercher. Grâce à ses relations haut placées, il obtenait une lettre du cabinet de Pétain attestant que Dorit était catholique (dans le livre elle ne s'appelle pas Dorit, mais quelle importance, c'est tellement elle !) et qu'ils allaient se marier. Ainsi la faisait-il libérer ; il avait compris qu'il ne pouvait pas vivre sans elle.

*

J'ai toujours considéré que la question de la vérité, dans un roman, ne doit pas se poser. Qu'on se moque complètement de savoir si tel ou tel événement est vrai, ou bien si les personnages sont inspirés de gens réels, parce que, évidemment, ce n'est pas cela qui fait l'intérêt ni la qualité d'un texte et que de toute façon, à la fin, l'auteur lui-même ne sait plus ce qu'il en est. Mais cette fois-ci, c'était différent. Cette fois-ci, c'était même la seule chose qui m'importait : est-ce que tout ce que je venais de lire était vrai ? Est-ce que Dumontet avait *vraiment* fait sortir, et de cette manière, ma grand-mère du camp de Compiègne ? Pourquoi Chaskiel, que je savais avoir été raflé aussi, n'était-il mentionné nulle part ? Que s'était-il passé entre la fin de la guerre et la publication de ce livre, soit durant seize ans ? Les amants avaient-ils continué à se voir ? S'étaient-ils installés ensemble ? Et qu'est-ce qui, en cette année 1961, avait ôté à Dorit son envie de vivre ? Toutes ces questions tournaient en boucle dans ma tête, il fallait que quelqu'un y réponde. Je savais que seul mon père se trouvait en mesure de le faire. Ma mère était morte, son frère Jo aussi, il ne restait plus personne – il était le dernier à

266

connaître cette histoire. Je pouvais l'appeler, bien sûr, mais je ne voulais pas apprendre tout cela par téléphone, et puisqu'il était rentré d'Asie, c'était aussi simple d'aller le voir – j'ai donc repris dès que j'ai pu un vol pour Marrakech.

Je ne sais pas comment l'expliquer, mais je sentais que c'était cela qu'il fallait que je fasse. Retourner là-bas. Ma chute dans l'escalier avait écourté trop brutalement mon précédent séjour et j'avais été forcée d'abandonner mon projet de roman, mais c'était comme si tout était resté en suspens de cet accident, comme si plus rien ne pouvait advenir après ce choc – il fallait maintenant *finir l'histoire.* Or, j'avais l'intime conviction que ce serait seulement là-bas, dans la maison de mon père où se clôturait aussi *Un vrai salaud,* que cela pourrait arriver.

– Eh ben, c'est pas trop tôt, a dit mon père en me voyant débarquer sur sa terrasse. Je t'attendais depuis un moment. J'aurais pensé que tu serais un peu plus curieuse.

– Il fallait peut-être que je lise ça avant…

Je venais de lui mettre le livre de Dumontet sous les yeux et il s'est exclamé :

– Oh ! incroyable ! Mais comment as-tu trouvé ce livre ?! Ta mère l'a cherché toute sa vie.

– C'est pas moi qui l'ai trouvé, ai-je dit, c'est…

– Tais-toi. Je ne veux pas savoir.

À son mécontentement, j'ai compris qu'il savait que j'étais venue ici avec *le cancer*. Rachida lui avait sans doute dit *un homme, grand, pas de lèvres, petites lunettes*, et il avait fait le lien. Il savait aussi (comment, je l'ignore) qu'Adam et moi, c'était terminé.

– Mais ne crois pas que ça me fasse plaisir, a-t-il ajouté, surtout si c'est pour que tu te mettes avec ce gros dégueulasse.

Il s'était relevé de l'énorme lit indien sur lequel je l'avais trouvé en arrivant, et il se servait une orangeade.

– Tu en veux ?

– Oui, merci.

Ce rafraîchissement nous a offert un peu de répit. Je me suis mise à observer le paysage. Sur les toits roses de la médina poussaient, comme des herbes folles, toutes sortes d'antennes et de paraboles, le ciel était blanc, épais, on distinguait mal la végétation de la vallée de l'Ourika à l'horizon, quant aux cimes enneigées de l'Atlas, elles étaient parfaitement invisibles, et j'ai été infiniment heureuse de ce temps gris et maussade qui n'était pas celui que j'avais décrit dans *Un vrai salaud.* C'était une autre histoire.

– J'ai donc lu le livre de Dumontet, ai-je repris. Et je voudrais que tu me dises si les choses se sont vraiment passées comme ça. S'il a vraiment sauvé Dorit en allant lui-même à Compiègne, avec cette lettre du gouvernement de Vichy qui attestait qu'elle était catholique et qu'ils allaient se marier.

– D'après ce que m'a raconté ta mère, oui.

– Mais c'était vrai ? Ils allaient réellement se marier ?

– Mais non, enfin ! Il a dit ça pour détruire Dorit et Chaskiel un peu plus, comme si le fait d'avoir été raflés ne suffisait pas.

– Je ne comprends rien.

269

– C'est pourtant simple : Dumontet a toujours voulu que Dorit quitte son mari. Du moment où ils se sont rencontrés, en 1936, jusqu'à la déclaration de la guerre, il n'a eu de cesse de le lui demander. Tous ses journaux en témoignent.

J'ai eu l'impression, terrible, qu'il parlait de moi, des derniers mois que je venais de vivre avec B., et je n'ai pas pu m'empêcher de penser qu'il y avait une sorte de *fatalité*, dans chaque famille, à toujours reproduire les mêmes schémas, les mêmes histoires. En réalité, c'était simplement celle de la France qui n'avait connu aucune rupture, et dont la part sombre s'était maintenue dans l'ombre, se reproduisant de génération en génération, donnant naissance à des héritiers infiltrés dans l'ensemble du corps social sur lesquels, tôt ou tard, à l'école, au travail, en boîte de nuit, nous étions bien obligés de tomber. Benoît Parent en faisait partie.

– Mais tu as les journaux de Dorit ?, ai-je demandé à mon père.

– Oui, je les ai. Ta mère les avait tous conservés.

– Pourquoi tu ne me les as jamais donnés ?

– Parce que tu ne me les as jamais demandés !

À cet instant, j'ai eu envie d'étrangler mon père. Il l'a compris et il s'est repris :

– Parce que je ne voulais pas que tu deviennes folle, toi aussi.

– Oh, arrête un peu avec ça !

– Quoi, arrête ? Non, je n'arrête pas. Ça les a tous rendus barjos, cette histoire, à commencer par ta mère qui tournait aux cachetons et à l'alcool toute la journée, elle a même fini par se faire écraser et c'est comme ça qu'elle est morte tellement elle était toujours ailleurs, et je ne te parle pas de ton oncle qui vivait là-haut dans ses montagnes, seul avec ses chèvres sur son plateau du Velay... Tu crois vraiment que c'était parce qu'il allait bien, peut-être ? Dumontet n'a pas obtenu ce qu'il voulait de ta grand-mère. Jusqu'à la guerre, il l'a beaucoup vue et ils sont devenus de plus en plus complices, mais leur relation était purement intellectuelle, platonique, et Dorit n'envisageait pas une seconde de quitter son mari. Ce sont les circonstances qui les ont séparés. En septembre 1939, comme mille cinq cents autres juifs étrangers, Chaskiel s'est engagé volontairement dans la Légion étrangère, puis il a été fait prisonnier de guerre au moment de la débâcle et la France l'a envoyé dans un camp de travail à Bouarfa, en Afrique du Nord. Dumontet, évidemment, était aux anges : il se croyait débarrassé du mari. Quant à Dorit, traquée avec ses enfants en tant que juifs, elle ne pouvait plus refuser à cet homme la protection qu'il lui offrait : devenir sa compagne. Elle est donc partie avec ta mère et ton oncle s'installer chez lui à Lyon, où il s'était replié avec toute l'équipe de *L'Action française* pour qui il écrivait chaque semaine.

271

— Mais comment Dumontet pouvait-il s'afficher, là-bas, avec une juive ? Il prenait un risque inconsidéré.

— Qui savait qu'elle l'était ? Qui aurait pu l'imaginer ? C'était purement inimaginable qu'un homme comme lui, qui signait dans un journal si antisémite, puisse aimer une femme de cette race. Et pourtant, en dépit de sa dureté, de sa violence et des horreurs qu'il lui aura fait subir par la suite, je suis convaincu, moi, qu'il l'aimait vraiment.

— C'est en tout cas ce qui ressort quand on lit *La Fille de Compiègne*. Il lui a fait *quoi*, par la suite ?

— Il l'a dénoncée. C'était en mars 1943. Chaskiel avait été libéré de son camp de travail quelques semaines plus tôt. Il était rentré en France. À Paris, il n'avait trouvé ni sa femme ni ses enfants et on lui avait dit que sa famille avait migré à Lyon. Il avait alors décidé de les rejoindre, malgré le danger qu'il courait, et quand Dorit a su qu'il était en ville, caché dans un appartement de Villeurbanne, elle n'a pas hésité une seconde : elle a pris ses enfants et laissé Dumontet. C'est à ce moment-là que celui-ci est devenu fou. Il a passé un coup de fil anonyme à la Gestapo pour signaler leur présence. Ta mère et son frère ont eu une chance folle, ils étaient chez des voisins, mais Dorit et Chaskiel, eux, se sont fait arrêter. Et pour la punir un peu plus, Dumontet l'a ensuite fait libérer, non pas par amour comme il le raconte dans son livre, mais par pure vengeance : c'était le seul moyen qu'il avait trouvé de l'arracher à son mari. Et son mari, comme tu sais, a été déporté. Il n'est jamais rentré.

– Mais c'est un cauchemar...

– Ça l'a été pour Dorit, oui, qui en plus a été obligée, jusqu'à la fin de la guerre, de vivre avec cet homme devenu monstrueux parce que blessé dans son orgueil. Il était odieux avec elle, et avec les enfants surtout, ta mère et ton oncle. Il les traitait de « sales juifs » à longueur de journée, il menaçait de les dénoncer à nouveau s'ils ne se pliaient pas à ses quatre volontés, bref, son antisémitisme, comme toujours et comme toutes les autres formes de haine, n'était rien d'autre que l'expression de son impuissance, mais pour lutter contre, ta grand-mère n'avait rien, sinon l'écriture. Ta mère me disait qu'elle écrivait sans arrêt. Elle était petite pourtant, mais elle s'en souvenait très bien. Ça l'avait beaucoup marquée, cette image de sa mère chauve, tondue à Compiègne, puis revenue à Lyon sans son père et qui passait ses journées un stylo à la main, à gratter du papier... Je pense qu'elle n'aurait pas supporté que tu fasses ça. Que tu écrives, toi aussi. Ça lui aurait rappelé trop de mauvais souvenirs.

J'ai pensé que si ma mère n'avait pas disparu si tôt et si violemment, je n'en aurais sans doute jamais éprouvé le besoin.

– Oui, tu as raison, a dit mon père. Il faut peut-être toujours un choc pour se mettre à écrire.

– Et à la Libération, ai-je demandé, qu'est-ce qui s'est passé ? Dumontet a fui à Sigmaringen, comme tous les pleutres ?

– Il n'en a pas eu besoin. Sa vengeance lui a en plus permis d'être complètement blanchi.

– C'est-à-dire ?

– Eh bien quand, en 1945, il a été entendu par le Comité national des écrivains pour avoir écrit dans toute la presse collaborationniste, il a pu prouver qu'il avait sauvé une juive et le Talmud dit : *Qui sauve une vie, sauve l'humanité tout entière.* Il n'a plus été inquiété. Il a alors repris le cours normal de sa vie. Il s'est trouvé une place au chaud dans un ministère, comme des dizaines d'autres salauds dans son genre puisque, comme tu le sais, il n'y a pas eu d'épuration, bien sûr, mais seulement une vengeance des communistes, et il s'est remis à écrire. Dans les années 1950, 1960, il publiait presque un roman tous les deux ans, aux éditions de *La Table Ronde.* Aucun de ses textes ne rencontra jamais de vrai succès public, mais tous trouvèrent un écho favorable chez ceux qu'on a appelé les Hussards, ce petit groupe d'écrivains de droite farouchement opposé à l'existentialisme de Sartre, et qui œuvrait à la réhabilitation d'écrivains ayant collaboré, comme Morand ou Chardonne. Chardonne, l'écrivain fétiche de Mitterrand... Celui-là même qui en 1941, invité par

274

Goebbels, aura fait « le voyage d'automne » pour aller visiter l'Allemagne… Soi-disant la honte de la France – tu parles ! La France a fini par tout oublier. *Ces auteurs ont du style*, disait-elle par la voix de sa critique, *ces auteurs ont du panache, de l'élégance, de la virtuosité, et que demande-t-on de plus à un écrivain ? Rien ! À bas la responsabilité ! Vive la désinvolture !* Je n'y connais rien, moi, en littérature, je suis un analphabète, comme disait ta mère en se moquant, mais à ce qu'il paraît, c'était vrai, tous ces types et Dumontet compris avaient du *style*, or dans ce pays, cela comptera toujours plus que d'avoir été bon, loyal ou courageux. Nous sommes le peuple du *beau*, pas du *bien*. Je le savais, bien sûr, mais d'en faire l'expérience intime était tout autre chose. C'était comprendre physiquement que cette France qui nous détestait pour ce que nous étions n'avait jamais cessé d'exister, et qu'il y avait un fil direct entre Dumontet et Benoît, qu'on appelait une *tradition*.

– Et en 1961, l'année où Dorit se suicide, il publie *La Fille de Compiègne*.

– Exactement. Mais ce qu'il faut que tu saches, c'est que depuis 1943, soit donc presque vingt ans, Dorit avait entrepris d'écrire aussi leur histoire. C'était la seule façon à mon avis qu'elle avait trouvé de ne pas mourir. Elle voulait tout consigner de sa relation avec Dumontet, de leur rencontre en 1936 à Paris jusqu'à ce camp nazi où il l'avait sauvée uniquement pour la punir d'être retournée avec son mari. Elle voulait se mettre à nu. Elle voulait que le monde sache. Parce qu'elle était convaincue, en tout cas selon ta mère, que cette liaison n'était pas seulement *son histoire*, mais l'incarnation du rapport ambigu et passionnel que la France a toujours entretenu avec les juifs, capable de les émanciper mais dans le même temps de déporter leurs enfants, alors même qu'aucun ordre en ce sens ne lui aura jamais été donné.

– Et il est où, ce livre ?

– Il a disparu.

– Il a disparu *où* ?

– D'abord, Dorit n'a jamais réussi à le terminer. Elle était trop exigeante avec elle-même. Elle s'était mis en tête que sa plume était un 22 long rifle et elle n'avait qu'une obsession, laisser Dumontet pour mort, seulement elle savait qu'elle n'aurait le droit qu'à une seule balle et elle ne voulait pas se rater. Elle a donc travaillé et retravaillé pendant des années. À en devenir folle. Mais l'élément qu'elle n'a pas anticipé, et qu'on doit pourtant toujours avoir à l'esprit quand on a en face de soi quelqu'un qui écrit, c'est que lui pouvait aussi faire un livre, et c'est justement ce qu'il a fait en 1961, pour lui couper l'herbe sous le pied, quand il a compris qu'elle n'était pas loin d'arriver au bout de son projet. Mais il ne lui en a pas touché un mot. Dorit a simplement reçu *La*

Fille de Compiègne par la poste au moment de la sortie, sans dédicace, sans rien.

À plus de cinquante ans d'intervalle, c'était exactement ce qui m'était arrivé aussi, j'avais trouvé ce livre sans un mot au fond de ma boîte aux lettres, et cette similitude m'a troublée au plus haut point. Je me suis alors revue me glisser dans mon lit avec le livre et entamer ma lecture, ce que Dorit avait sans doute fait dans son petit appartement de la rue Richer. Puis de la même manière qu'elle avait dû chercher Chaskiel à chaque page, je m'étais étonnée de ne pas le trouver. Car je savais qu'il avait été déporté à Compiègne lui aussi, et je ne comprenais pas pourquoi il n'y était pas. Dorit, elle, avait très bien compris.

– Oui, elle avait saisi, me disait maintenant mon père, que ce livre de Dumontet n'était qu'un moyen d'empêcher le sien. De la priver du dernier pouvoir qu'elle avait de ressusciter son mari par le biais du roman. Et ne pas le faire exister dans *La Fille de Compiègne*, ne le mentionner nulle part fut, pour Dorit, comme si Dumontet l'envoyait une seconde fois à la mort, et même pire encore, comme s'il *révisait* l'histoire, mais qui aurait pu l'en blâmer ? Il n'était pas historien. C'était un écrivain qui signait une fiction. Il avait tous les droits.

Mon père s'est tu un instant. J'étais un peu son-
née. Il faisait chaud encore et nous avons quitté
la terrasse. À l'étage inférieur, qui était le sien,
mon père m'a demandé de le suivre jusque dans
sa chambre, ce que j'ai fait. C'était une vaste pièce
turquoise, couverte de tapis, qu'il a traversée
jusqu'à un petit secrétaire en bois datant de son
mariage et qui était la seule chose, ici, qui faisait
partie de mon enfance. Du dernier tiroir, il a sorti
plusieurs cahiers, des lettres, des photos, toute
sorte de papiers. C'était ce que ma mère avait
conservé de la sienne, et il me les a donnés.

– Dorit a mis fin à ses jours à cause de ça ?
ai-je demandé. À cause de la seconde mort de
Chaskiel ?

– Oui, m'a dit mon père, à cause de ce livre.
Et du sien qu'elle n'a pas réussi à terminer. Elle
l'a très bien expliqué dans un courrier qu'elle a
laissé pour ta mère dans leur boîte aux lettres. Tu
le trouveras là-dedans. Dans ces pages, Dorit écrit
qu'elle aurait pu supporter l'injustice d'avoir été
arrachée à son mari dans les conditions que tu
connais maintenant si seulement elle avait réussi
à la réparer en partie grâce à l'art, mais confrontée
par la sortie du livre de Dumontet à son propre
échec, elle ne savait même plus elle-même où
se situait la vérité. La seule chose qu'elle savait,
c'était que sa folie, miraculeusement tenue à distance depuis son retour de Compiègne par la seule
grâce de l'écriture, était en train de se réveiller. *Je*

bouillonne au fond de moi-même comme la lave brûlante d'un volcan, écrit-elle, *et plutôt que de la laisser s'exprimer et provoquer un carnage dont je ne pourrais assumer la responsabilité – aller chez Dumontet et lui planter un couteau de boucher dans le cœur, par exemple – je préfère la retourner contre moi.* On a dit, pour ne plus jamais parler de Dumontet, pour oublier jusqu'à son nom, que Dorit était morte de chagrin parce que Chaskiel n'était jamais revenu des camps. Ce n'est pas faux, bien sûr, mais le coup de grâce lui fut donné par *La Fille de Compiègne* qui, elle le savait, serait la seule version qui resterait de son existence. Une version fausse. Elle prit donc le roman de Dumontet dont elle ne voulait pas être l'héroïne, et avec son propre manuscrit, alla les mettre ensemble dans l'évier, puis gratta une allumette, la jeta dessus, et regarda le papier se faire dévorer. Elle écrivit ensuite à ta mère la lettre dont je t'ai parlé, elle y consigna ses derniers gestes, c'est comme ça que nous sûmes ce qu'il s'était passé exactement, puis elle retourna à la cuisine voir si le feu avait bien fait son travail et s'enfila la moitié de sa pharmacie. Quand on la retrouva, raide sur le carrelage, le plafond était plein de la suie de leurs mots – il ne restait rien. Tout était parti en fumée.

J'ai passé un temps infini à étudier ces documents ayant appartenu à ma grand-mère. Beaucoup de temps aussi à simplement regarder, toucher son écriture qui me bouleversait aux larmes, mais je ne savais pas quoi en faire. Certains jours, j'envisageais de les offrir à un musée, pour que tout le monde sache, puis d'autres, je me disais qu'il fallait simplement les conserver pour les filles qui les donneraient un jour à leurs enfants, lesquels les transmettraient aux leurs. L'idée d'écrire *Un homme dangereux* – c'était le titre que Dorit avait donné à son roman inachevé – ne m'effleurait même pas l'esprit. Sans doute parce que c'était une responsabilité trop grande : celle de rétablir la vérité. Mais au fond n'était-ce pas, de mon livre sur Ilan Halimi à celui sur mon père, ce qui m'avait toujours animée ? Nous sortions avec Adam d'une réunion de classe pour Suzanne lorsqu'il me posa la question. C'était l'hiver. Il faisait froid, il était tard, et je l'ai serré fort dans mes bras en lui disant merci – *merci, merci, merci !* – parce que tout à coup, grâce à lui, grâce à sa question si simple mais qui remettait les choses à leur place, cet homme dangereux ne l'était plus, et je me sentais tout à fait capable de faire avec lui ce que j'avais fait avec *un vrai salaud* comme avec le gang des barbares qui avait tué Ilan – le mettre en mots.

J'ai mis presque deux ans à écrire ce livre.

Lorsqu'il est sorti, à la fin du mois d'août, j'ai éprouvé ce que je ressens à chaque publication : une sorte de tristesse inconsolable liée à la perte, à la fin de quelque chose, mais qui faisait cette fois écho à ce que me renvoyait la situation de notre pays : le sentiment que le monde dans lequel j'avais grandi était définitivement mort. Les choses avaient en effet empiré depuis ma rencontre avec Benoît Parent. Le nombre de chômeurs avait encore augmenté, d'autres affaires de corruption avaient éclaté, l'extrême droite était devenue le premier parti de France, l'âge moyen des candidats au dijhad était passé à quinze ans, de plus en plus de filles et de convertis se disaient prêts à mourir pour la « cause » tandis qu'un peu partout en France, des mosquées étaient vandalisées et des imams insultés, quant aux juifs, ils continuaient à se faire tirer dessus parce que juifs mais ils étaient moins nombreux car beaucoup avaient quitté le pays, en cela Benoît avait dit vrai, et ceux qui restaient vivaient désormais sous protection militaire ; mais c'était devenu la norme, quelque chose qui ne choquait plus personne. Même moi, je ne l'étais plus. J'avais juste un peu changé mes habitudes : j'aimais désormais rester des journées entières à la maison, à lire des livres et à regarder des films, sans rien savoir des nouvelles du monde. Adam, qui s'inquiétait toujours pour moi, ne trouvait pas ça normal. Il me demandait sans cesse d'aller revoir Valdès à Montsouris. Je finis par l'écouter. Valdès m'ausculta, et dit cette fois qu'il fallait m'enlever la glande thyroïdienne.

– Mais la bonne nouvelle, ajouta-t-il, c'est qu'ensuite, vous ne pourrez plus être déréglée par rien !

L'opération eut lieu juste avant la rentrée. Elle se passa sans encombre et, le week-end suivant, Adam m'invita à venir voir la maison qu'il avait achetée pour les filles à Benerville. C'était le Festival du Cinéma américain. Il faisait un temps magnifique, il y avait un monde fou sur les planches et nous y étions regroupés avec des amis juste devant la maison tandis que les enfants jouaient aux jeux gonflables sur la plage. Je me suis tournée vers la mer pour vérifier que les filles y étaient bien, comme elles me l'avaient dit. La main en visière pour me protéger du soleil, je cherchais leur silhouette quand, tout à coup, j'ai distingué celle de Benoît Parent, à quelques mètres. J'ai machinalement baissé ma main. Il s'est approché, timide, et je l'ai rejoint. Nous nous sommes dit bonjour, puis il m'a demandé comment j'allais. Il avait l'air de bien se porter. Il venait de terminer une nouvelle sur Amy Winehouse (il n'avait donc pas écrit ce roman sur moi ?) et il était là pour voir des films – il tenait toujours sa critique cinéma dans un journal pour dames.

– Mais je n'ai rien vu de bien, a-t-il dit. Du coup, hier soir, je me suis refait le biopic sur Lady Di, ça passait à la télévision. Tu te souviens, je t'avais dit de le voir.

– Je me souviens, oui.

– Et tu l'as vu ?

– Toujours pas.

– Tu es bête. Je suis sûr que tu adorerais, c'est un film sur l'enfermement.

Cette phrase m'a fait sourire, mais il n'a pas eu l'air de comprendre pourquoi. Il m'a demandé ce que j'allais faire dans les mois à venir – un nouveau livre, un nouveau film, une histoire pour enfants ? J'ai répondu que je voulais reprendre mes interventions dans les lycées pour aller porter devant les jeunes la mémoire de mes grands-parents dont j'avais redécouvert l'histoire – c'était ma manière à moi de lui parler de mon livre, mais il n'a pas relevé. Pour finir, il a juste dit :

– Appelle-moi quand tu rentres, ça me fera plaisir de te voir.

J'ai dit d'accord, je t'appellerai, mais nous savions tous les deux que je ne le ferais pas, et après nous être souri une dernière fois, il s'est éloigné en direction de Deauville. Il boitait toujours un peu, à cause de son genou, et il portait sous son bras cette même chemise en plastique qui devait contenir un manuscrit, un livre, ses antalgiques. Comme c'était curieux de penser que cet homme, étranger parmi la foule, m'avait permis d'écrire *Un homme dangereux*. Je me suis dit, en le regardant s'éloigner, qu'on ne savait jamais par quoi, par qui l'écriture devait passer, ni jusqu'où elle pouvait vous mener. La mienne, cette fois-ci, avait donc transité par cet homme, et elle m'avait conduite jusqu'à mes grands-parents, victimes d'un antisémitisme dont j'avais décidé, par pure protection, de ne plus parler. Mais pouvait-on décider de ces choses-là ? Pouvait-on taire ce qu'il y avait en soi de plus à vif, de plus essentiel ? Benoît Parent rapetissait à mesure qu'il s'éloignait et en dépit de ce qu'il était et de ce que nous n'avions pas vécu, j'éprouvais une sorte d'infinie gratitude à son égard : il était celui qui m'avait fait le don de ma propre histoire, le « don reversé » d'un livre. Et combien de gens, dans une vie, étaient capables de vous donner cela ? Je l'ai accompagné du regard jusqu'à ce qu'il ne soit plus qu'un petit point à l'horizon, puis j'ai entendu la voix des miens crier mon nom. Les miens qui étaient dans ma vie, plus dans mes livres.

*Cet ouvrage a été composé
par Nord Compo à Villeneuve-d'Ascq (Nord)
et achevé d'imprimer en France
par CPI Bussière
à Saint-Amand-Montrond (Cher)
pour le compte des Éditions Stock
31, rue de Fleurs, 75006 Paris
en mai 2015*

Stock s'engage pour
l'environnement en réduisant
l'empreinte carbone de ses livres.
Celle de cet exemplaire est de :
1 kg éq. CO$_2$
PAPIER À BASE DE   Rendez-vous sur
FIBRES CERTIFIÉES   www.editions-stock-durable.fr

Imprimé en France

Dépôt légal : août 2015
N° d'édition : 01 – N° d'impression : 2016313
36-51-5575/7